萧乾 主编

新编文史笔记丛书

第三辑

33

江漢采風

萧松涛题

中華書局

◎武汉市文史研究馆 编
●陈松 吴先铭 张正亚 主编

目录

首义拾零

北伐点滴

抗战轶事

官场旧闻

人物掠影

文教余话

艺林散叶

汉上风情

琐忆杂录

新编文史笔记丛书

序

萧 乾

读书界向来对野史有所偏爱。野史大多是信手拈来的历史片断，且往往出自亲历者之手。文直事核，不虚美，不隐恶，而文笔潇洒自如，意味隽永，自然朴实，篇幅不长；可以摊开来仔细咀嚼，也可供茶余酒后、行旅倥偬中，随手浏览。

鲁迅在《华盖集》中，曾几次对野史表示过好感。在《忽然想到》一文中写道："历史上都写着中国的灵魂，指示着将来的命运，只因为涂饰太厚，废话太多，所以很不容易察出底细来。正如通过密叶投射在莓苔上面的月光，只看见点点碎影。但如看野史和杂记，可更容易了然了，因为他们究竟不必太摆史官的架子。”又在同书《这个与那个》一文中说：“野史和杂说自然也免不了有讹传，挟恩怨，但看往事却可以较分明，因为它究竟不像正史那样地装腔作势。”

全国文史研究馆所编的《新编文史笔记》丛书，内容也属野史杂说的范畴。我们希望这些以亲闻、亲见、亲历为主的轶事掌故、琐闻杂记，写人、事而摒除误会曲解，述历史而符合真实面目。

作为一种短隽有味，文字清奇而又雅俗共赏的文学体裁，笔记在中国具有悠久的传统。它始自魏晋，盛行于宋代。南朝刘义庆的《世说新语》，北宋沈括的《梦溪笔谈》，南宋陆游的《老学庵笔记》，明朝张岱的《陶庵梦忆》，清朝纪昀的《阅微草堂笔记》以及20世纪30年代初丰子恺的《缘缘堂随笔》，都是文学史上的奇葩。然而，近年来笔记乏人问津。因此，我们出这一套书，也包含着挽回颓势之意。

全国三十二所文史研究馆拥有雄厚的稿源，两千多位馆员和各馆联系的社会人士，都是丛书的撰稿人。他们都是文史界的耆宿，见多识广，阅历丰富：有的反对过帝制，有的在“五四”运动中扛过大旗，他们目睹过军阀的横行霸道，也经历过艰苦卓绝的八年抗战。这些历尽沧桑的饱学之士，他们的所见所闻，都是弥足珍贵的史料。

本丛书分辑出版，分别由各地文史研究馆编辑，内容亦以本乡本土为主。因此，各册势必具有浓厚的地方色彩。

本着笔记固有的传统，所收各文题材不嫌庞杂。举凡与文史有关的政治、经济、军事、文化、社会等方面，或记闻见杂事，或叙往昔交游，或忆社会百态，均在搜罗之列。时间跨度则自清末以迄1949年为止。这正是中华民族从闭关自守到走向世界，从落后羸弱到奋发图强，是天翻地覆、风起云涌的大半个世纪。其间，发生过多少可歌可泣的事迹，涌现过多少杰出的人物。以这一时间跨度为背景题材写出的笔记作品，必然是内容最为丰厚的。

在选稿标准上，我们坚持史料一定要真，内容要新；既要防止以讹传讹，也力避炒冷饭。在写法上务求短小精悍、生动活泼。每篇以千字为度，希望借此在文风方面，提倡一下简约。在版式上，则想做到既利于阅读，又便于携带。

恳切希望文史界方家及广大读者，不吝赐正。

测绘学堂的剪辫子风潮

喻育之 口述 樊 名 整理

清末宣统年间，我在武昌陆军测绘学堂读书。除学习日常课程外，还偷看了一些革命书报，接触到孙中山先生的一些讲稿、文章，认识到非推翻清王朝不能挽救民族危亡。当时，大部分同学是“共进会”成员，我经王寿介绍，亦加入进去。其代表人物为方兴、甘绩熙、李翊东、朱次璋等人。同学们经常在校秘密传递革命信息，联络校外新军代表，积极策划起义。

辛亥首义前夕，共进会在测绘学堂内掀起了一场剪辫子风潮。一天，下晚自习后，我和李翊东、戴维夏一起，准备了几把剪刀，在同学中倡议剪辫子，得到大多数同学的赞成。剪去辫子就意味“背叛”清朝，有杀头的危险。但同学们无所畏惧，人人争先恐后喧哗不已。于是，我将一个铜脸盆翻过来，在底面上画了一个圆圈，并首先在上面签名，接着大家也纷纷签名。然后，我转动脸盆，定下剪辫子先后次序，不到半小时，百多名同学的辫子就剪掉了。大家互相对视，大笑不已。

第二天清晨，学堂监督刘邦骥得知情况，立即召开大会。会上，他大声呵斥道：“你们吃大清国的饭、读大清国的书，竟敢这样胡闹，真是大胆已极。姑且各记大过两次，以观后效。”在场的同学没有一个买他的账。我心想：既然敢做，杀头尚且不怕，记大过又算什么。

此端一开，剪辫风潮迅速波及其他学堂和新军兵营。

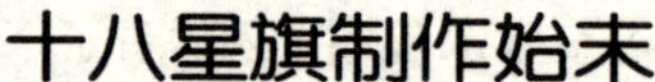

十八星旗制作始末

李修鲁

1910年，湖北革命党人就已着手准备起义的旗帜。次年春，共进会领导人刘公从日本回鄂。一天，他邀约赵师梅、赵学诗(赵师梅堂弟)、陈磊(陈潭秋之兄)到武昌他的住所聚会。会上，刘拿出从日本带回的十八星旗图样，要他们放大绘制。该旗的长宽比为8:5，底为红色，中为黑色放射形九角，黑、红二色象征铁血精神。九角的底、顶两端各有一黄色圆点，共十八个，象征当时十八行省的统一和各民族的和睦相处。

旗样按规定绘好后，共进会负责人之一的邓玉麟请草湖门一位裁缝师傅秘密缝制。为了安全，每次只缝制两面，一共缝制了二十面。邓将旗帜分批分送到汉口宝善里十四号共进会总机关和武昌小朝街八十五号机关存放。

1911年10月9日，宝善里机关失事，那里的十八星旗被俄国巡捕搜去，转交给湖广总督府。小朝街机关的旗帜接着也被抄去。

同年10月10日，武昌起义成功。次日，邓玉麟又找到那位裁缝师傅赶制了两面十八星旗，悬挂在军政府(今辛亥革命武昌起义纪念馆)大门口，并保存至今。

辛亥首义时的张廷辅

吴　鲁

武昌小朝街八十五号(今紫湖村)，是辛亥首义的军事指挥部。1911年10月9日夜，清军警将该处包围搜查，彭楚藩、刘复基、杨洪胜被捕，第二天清晨英勇就义。房主张廷辅是新军第八

镇排长、文学社成员，那夜在营内值班，毫无所知，次晨上操，亦被捉送督署。当清吏铁忠审讯他时，张仅承认房东与房客的关系，以不知内情为由应付过去，但仍被另室关押。10日夜起义军攻下督署，救出张廷辅。他即奔赴军政府谋略处，任第五协统领，旋率师渡江迎战南下清军。作战时身先士卒，轻伤不下火线。10月27日，在歆生路(今江汉路)激战中又负重伤，被部下抬到武昌医治，伤未愈又赴汉阳作战。

在作战间歇期间，他很注意士兵的训练工作。《中华民国公报》载有他对士兵的一篇讲话："以前是对皇帝个人尽忠，现在要对国民全体尽忠。对个人尽忠是军人之耻，对国民尽忠是军人之荣。以前军人只对官长负责，现在官长要对全体士兵负责；以前士兵只服从官长，现在官长也要服从士兵。大家为国家民族而战，才不辜负军人的光荣称号。"

民国元年(1912)元月，鄂军扩编，张廷辅任第二镇统制，就职时自称"公仆统制张廷辅"。张是直隶(今河北)邯郸人，武昌起义成功后，直隶革命党人曾邀他回故乡领导革命。可惜当年2月，在一次乱兵骚动中丧命。身后一贫如洗，家属生活全赖同志周济。

梁钟汉"以狱为家"

梁绍栋　遗稿　伍　光　整理

清光绪三十二年(1906),先父梁钟汉赴日就读路矿学校,加入同盟会。同年十月,孙中山派朱子龙、胡瑛和先父回鄂策应萍、浏、醴起义,邀约革命同志集会于汉阳伯牙台,决定全体投入新军第三十标当兵(季雨霖在那里当三营督队官)。不意被叛徒郭尧阶告密出卖,先父与朱子龙、胡瑛、季雨霖、李亚东、张难先、殷子衡、吴贡三、刘静庵等九人先后被捕,羁押于武昌候审所,次年判重刑。由于中外舆论干预,宣统元年(1909)重新宣判。先父被判有期徒刑三年,发交原籍汉川县监禁。

汉川县知事认为先父出自本县名门望族,又系留洋学生,特予"优待",把县监狱里一幢三间小屋内的两间给先父住,一间作寝室,一间作书房,另一间是典狱员的。那时我才七岁,在县立小学上学,随先父同住,上学放学,狱卒给我开门,出入自由。实际上我们以狱为家了。先父在狱中读书、写字,也教我读书、写字,他反复要我写"人处最不如意时,偏要从如意时着想;事本万难做到的,决要从难做处用功"。

宣统三年八月十九日,武昌首义成功的消

息传到汉川，先父出狱，被拥戴为汉川军政分府主任兼总司令。

张纯一慧眼烛奸

郑桓武

清末民初的著名学者张纯一，系汉阳县兴隆集汉阴村人。光绪二十八年(1902)受任为武昌文华书院国文教习，与革命志士刘静庵、曹亚伯等组成反清秘密革命团体日知会。

光绪三十二年十月，同盟会总部派胡瑛、朱子龙、梁钟汉等回武汉布置响应萍、浏、醴起义的行动。刘静庵就商于张纯一，张分析形势，认为武汉起义条件未臻成熟，萍、浏、醴起义亦恐难以坚持，主张从缓。刘静庵说："兹事体大，须召集主要同志会商决定。"纯一问静庵："你拟议召集与会之人，其中有郭尧阶否？"静庵说："尧阶自日本归国后，热心会务，态度诚实，当然邀他共襄大事。"纯一沉吟片刻，以坚定的口吻说："我在日本时，知其为人，不愿再见到他。此次会议，既然有他，我当然不参加。"原来在日本留学期间，他察知郭追逐酒色，华而不实，且轻诺寡信，不可结交。并一再劝告刘静庵要对郭提高警惕。刘不以为然，且讽喻张说："图大事，须推赤心于人之腹，岂可厚疑天下人。"

光绪三十二年十二月的一天，刘静庵密约胡瑛等于汉阳伯牙台，商讨起义，张纯一未与会。讵料郭尧阶果然告密，致刘静庵、朱子龙、梁钟汉、胡瑛、殷子衡、张难先、季雨霖、李亚东、吴贡三等先后被捕。

张纯一获悉刘静庵等被捕，即潜入汉阳圣公会黄吉廷牧师教堂藏匿。(黄与日知会有密切联系)同时运动该教堂主教向北京呼吁，由外交使团出面干预，重新审判。后来，被判死刑的改判终身监禁，判徒刑的从轻发落。

李淑卿轶事

杨虞夔　李修鲁

李淑卿是湖北军政府总监察部司印官，乃辛亥以后第一个参加公职的妇女。她生于光绪十八年(1892)，祖籍广东，其父在湖北做官。父死后，乃与母流落湖北沔阳，后嫁丁某。丁暴死，丁家族人诬李谋杀，告之于官。有一士人同情其遭遇，携她外逃。李一双小脚，不堪其苦，乃向官府投案，申明绝无杀夫之事。时沔阳县令王某之子悦其貌，纳为偏房。王妻见夫宠李，因妒生恨，在李所饮豆浆中掺入毒药。不料，为其夫误饮致死。李淑卿见状，深怕受牵连，慌忙跑回娘家，与母一同逃往汉口。

在汉口，李母女沦为乞丐，后偶遇一沔阳籍学生，听母女操沔阳口音，深怜之，将二人安排到武昌胭脂山学校附近住下，并向同乡同学说明情况。当时，学生中很多是革命党人，见李很年轻，乃助其读书，因此，李得以进武昌女子职业学校。入学后，李受革命思想影响，加入共进会。因她长于交际，在沔阳学界和革命党人中交游甚广，人戏呼为"沔阳监学"。

宣统二年(1910)七月，共进会领袖刘公、杨时杰由日本东京回鄂，拟在长江一线举事。刘住武昌雄楚楼十号，因房屋甚宽，请共进会员中同乡杨玉如夫妇同住。此处即成为革命党秘密机关。

刘公本襄阳富家子，回鄂后即得到家中所给万两银子票据，嘱他捐一"候补道"官衔。是时，革命党人经费十分拮据，杨玉如、杨时杰等人意欲刘拿出此笔巨款充作经费，但因事涉个人财产，不便启齿。一日，两杨正商谈间，忽闻一女子插言道："有钱不革命，偏要去捐官，那还像话？无怪花蕊夫人说'竟无一个是男儿'！"两杨见此女子正是"沔阳监学"李淑卿，忙道："我俩正想觅一说客，看来非你莫属了！"李获知详情后，慨然说："二公重托，我只好恭敬不如从命。"从此，李的闺阁中便常有刘公的足迹。

"能革命我便嫁你，不要拿钱去捐官，限你即时答复。"李淑卿这段充满侠骨柔肠的话，使刘公深为感动，他欣然答道："何以见得我一定要去捐官？不过，你的话使我深受激励。黄金有价情无价，一万两雪花银尽数捐赠革命事业吧。”从此，两人心心相印。后经杨玉如、杨时杰作伐，刘李结为夫妇。

武昌首义前一日，刘公因制炸药失事逃亡，李淑卿则被捕。首义成功后，刘公任总监察部部长，李亦出狱，更名刘一，在刘公治下司印信，襄助刘从事革命，多有贡献。李后来死于襄阳，葬在市郊。

李白贞刻制“大都督”印

张正亚

李白贞，湖北黄陂(今属武汉市)人，辛亥革命志士，共进会会员，善书法、金石，喜绘画、摄影，多才多艺。

武昌起义前，李白贞在汉口歆生路开设荣昌照相馆，作为革命秘密联络处，后来，又转为临时总部。辛亥革命前夕，共进会在该处召开各分部负责人会议。会上，就举事之日迫近，需赶制十八星旗和镌刻鄂军政府印符等事项进行商议。对于刻印，孙武和刘公认为在外面找人刻制难以保密，于是，请李白贞在百忙中亲自办理。

李白贞欣然受命。他办事一贯认真，对此重大任务，更是谨慎小心。为了印章的字体和排列，反复写样选择，一笔一划，仔细琢磨。经选定后，方动刀精心雕凿。在安装印章木柄时，为使木柄光洁，他用刀刨削，不慎将左手拇指戳破，顿时血染木柄。刘公在旁，见状笑道：“此乃大吉之兆也！”于是，李白贞就将木柄全部刷上红色油漆，以示血不白流，义举必成。

当孙武、刘公等人仔细观看这枚五寸见方的铜质印章时，对那铁画银钩、端肃赫奕的“中华民国鄂军政府大都督印”十二个字，备加赞赏。武昌首义成功后，这枚大印即成为鄂军政府发布命令的权威之物。

张轸险作枉死鬼

舒　楚

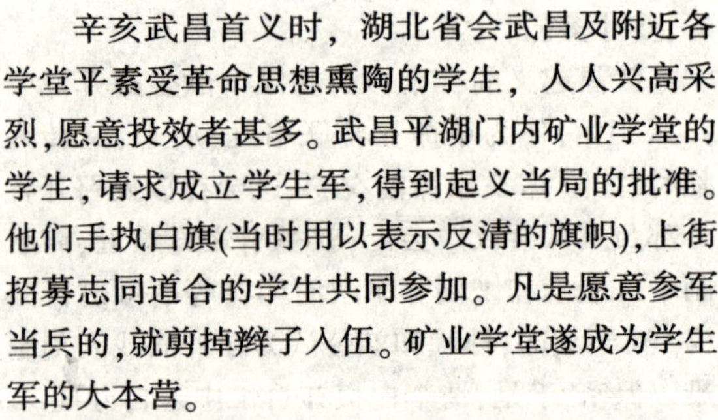

辛亥武昌首义时，湖北省会武昌及附近各学堂平素受革命思想熏陶的学生，人人兴高采烈，愿意投效者甚多。武昌平湖门内矿业学堂的学生，请求成立学生军，得到起义当局的批准。他们手执白旗(当时用以表示反清的旗帜)，上街招募志同道合的学生共同参加。凡是愿意参军当兵的，就剪掉辫子入伍。矿业学堂遂成为学生军的大本营。

参加学生军的，不只是武昌及湖北的学生，还有从邻省来的。原国民党十九兵团司令张轸，辛亥首义那年仅十七岁，是河南陆军小学的学生。他和侄儿张燕祖长途跋涉，绕道前往武昌。在距离武昌数十里的阳逻，被前来支援武昌起义的李烈钧部扣押。这是因为袁世凯正派冯国璋、段祺瑞率大军向武汉反扑，李部认为河南来的人都可能是敌军的侦探，有的抓住就杀了。张轸叔侄被分别扣在队部(连部)和棚(班)里。开饭时，张轸认为自己是来投效革命的，丝毫不知道将有杀身之祸，吃饭吃得很香。棚头(班长)谌保全看见了，不禁为他难过。吃完饭，张轸叔侄即被审讯，尽管他俩一再如实诉说，审讯的人总不相信。

眼看要没命了，恰巧李部的军法官从武昌回部，谌保全再三请军法官亲自审讯，以免错杀。军法官审讯毕，叫他叔侄写出何以来此的经过和他们的志愿。他们连忙写了。军法官看后甚为赞许，遂留下他们帮办文书事务。后来武昌学生军正式成立，该部根据张轸叔侄的志愿，把他们保送到学生军里去了。

次年，学生军解散，张轸的侄儿病卒于武昌，张轸本人回到河南参加陆军小学的毕业考试。

于右任题壁黄鹤楼

李曼农

于右任少时入陕西中学堂不久，慈禧太后母子避乱入陕。堂中师生奉命衣冠出城，迎接

"圣驾",在路旁跪了一个多钟头,于愧愤之余,即拟上书陕西巡抚岑云阶,请其手刃西后,重行新政,书成,卒为同学所劝阻。其后师事陕西提倡新学最力的朱佛光先生。在商州中学堂任监督时,将其诗作编成《半哭半笑楼诗草》,为清廷官吏所忌,被迫出走,经汉口东下南京转上海。此后即以学校和报社为基地,联系东南各省,开展革命活动,先后在上海创办《神州日报》、《民呼日报》、《民吁日报》、《民主报》,鼓吹革命。

1907年到武汉,登黄鹤楼,写下了《浪淘沙》一阕,充分流露出他的爱国情怀和对革命的向往:

烟树望中收,故国神游;江山霸气剩浮沤。黄鹤归来应堕泪,泪满汀洲。

凭吊大江秋,尔许闲愁;纷纷迁客与清流。若个英雄凌绝顶,痛哭神州。

1911年武昌首义,于以"骚心"等笔名在上海《民主报》上连续写了《武昌之变》、《长江上游之血水》、《黎元洪》、《武汉风云之闲话》、《时事微言》、《黄花香》等短论,一篇比一篇激进。在《长江上游之血水》中云:"武汉据天下之形胜,在吾国地理上、历史上所谓易进取而难保守者也。今日革命党得之,又据兵工厂、断京汉路,渡江与外人周旋,赴势如迅雷。其愤如此,其激如此,其速如此。"在《黄花香》中说:"本报去岁九日出版时,记者谓有独立之言论,始有独立之民族。今日者黄花灿烂,五色旗遍映大地矣,记者敢放弃责任乎?嗟叹!乾坤,吾故物也;黄花,吾故人也；民主，吾亲爱之同胞之性命也。民主万岁！中国万岁！”在《武汉风云之闲话》中，回忆他在黄鹤楼题壁之作，说：“此记者四年前上黄鹤楼之作也，今日者，旌旗变色矣。嗟嗟，请看今日之域中，竟是谁家之天下！”

首义新闻纪录片《武汉战争》

李白贞　遗稿　王肇槐　整理

辛亥武昌起义前，汉口歆生路荣昌照相馆，是革命党人秘密联络点之一。武汉光复后，1911年10月下旬，清军大举南下反扑，汉口市区战斗激烈。我联合汉口商界名流蔡辅卿、王甫琴、刘子敬等成立红十字会，公推我具体负责，与仁济、中西等医院取得联系，组织救护队，出入战地，救护伤员，掩埋阵亡烈士。在掩埋烈士之前，尽可能一一照相、登记，上交军政府保存。

这时，我碰见著名幻术杂技演员朱连奎带着一位西洋人（“美利公司”的职员）频频来到战地，并将体积庞大的电影摄影机架在租界边缘的高楼上，如大智路口英国烟厂塔楼，歆生路口大清银行楼顶，抢拍起义军与清兵交战的镜头。后来他们就将这些镜头编集起来，制成一部名为《武汉战争》的电影。其内容有1911年10月27日在大智门车站附近、球场内外至歆生路一带战况;11 月 16 日,起义军自汉阳反攻,冲至汉口居仁门、歆生路与清军搏战等情况。这部《武汉战争》当时是我国最早的新闻记录片。

当辛亥革命的烈火尚在燃烧之时,朱连奎即将这部电影片携去上海,12 月 1 日他在上海“谋得利”戏院表演杂技幻术,同时放映了这部《武汉战争》,轰动一时。

我就不如朱氏幸运。当时我也曾冒险犯难摄取了战地照片和烈士遗像千张,当年 11 月 30 日布置在汉阳龟山的清军大炮,击中武昌军政府西楼,结果西楼起火,照片烧毁一空。

吴国桢的孙中山铜像赞

涂明庭

前两年,我读到台湾出版的《湖北文献》刊登了吴国桢之兄吴国柄所写的文章,谈到他自己曾经主持开辟汉口中山公园,参与修建孙中山铜像,可是并没有披露吴国桢所写的像赞。而汉口三民路铜像基座上所刻的像赞已在“文革”中被水泥覆盖。恰好我保留有这篇像赞。现照录如下。

> 自来立大德建大功,行可则言可法者,国人想望仪容,往往立像以致崇敬。而其像或雕木刻石,或铸金绣丝,或隆以祠宇,或陈之广园通衢,为式虽有不同,然其表彰先

德，昭示来兹，无古今中外一也。总理孙中山先生，领导革命四十余年，肇造党国，勋德之隆，亘古无俦。而汉口华洋荟萃，轮轨辐辏，与武昌同为首义之地，称华中重镇。先生昔尝莅临，今逝世久，而立像之典未具，守斯土者，滋用惭焉。民国二十年，前市长刘公文岛，拟于市内三民路口，为先生建立铜像，时国桢掌管度支，筹资熔铸，行将告成。会市制变更，刘公他调；继以水患，工遂中辍。越明年十月，国桢承乏汉市，百端待理，追维前事，弥增感怀，倘不踵而成之，不惟无以对刘公。抑且无以慰舆望。爰鸠工凿石，筑场建立，规则一如昔议，乃为赞曰：

于穆总理　维岳降神　卅年革命　救世淑人　经天纬地　五权三民　忠孝仁爱信义和平　折衷今古　集殖寰瀛　始时号召　社结同盟　千艰万危　持以忠贞　卒建共和　功莫与京　南北绾毂　江汉之滨义旗首举　车驾频经　邦人怀慕　惝恍□□　是用作像　铜骨金身　具瞻百世　以感以兴

汉口市市长吴国桢敬撰并书

辛亥革命前的两首军歌

王立群

辛亥首义前，日知会成员、武昌文华书院教习张纯一和余日章曾作词谱曲，创作了两首军歌：

其一

愿同胞，团结个，英雄气，唱军歌，一腔热血儿意绪多。怎能够坐视国步蹉跎，准备指日挥戈，好收拾旧山河。从军乐，乐如何！从军乐，乐如何！甚天演，烈风潮，和物竞，同探讨，擘破混元仓精神好。为国民从新铸个头脑，争得扶桑天晓，纪念碑立云表。操操操，休草草！齐昂首，整顿了，好身手，讲兵韬，任他千钧一肩挑，新世界能构造得坚牢，便是绝代人豪，浩气薄云霄，声价儿比天高。

其二

向前，向前，奋勇争先！向前，向前，伸我主权！抖擞精神唤起国魂，思独立如百炼金坚。把微躯为国捐，把微躯为国捐。羞贪生，怕神州瓦解难全。向前，向前，登山极巅。向前，向前，涉水极重渊。军国主义战胜天演，是英雄当仁休让昔贤。且猛着祖生鞭，且猛着祖生鞭！仗血性，竞争个国脉绵延。向前，向前，步武高骞。向前，向前，任重休息肩！慷慨从军恢复中原，誓同仇，好将大力回天。新中国美少年，新中国美少年，唱凯歌，一齐都画上凌烟。

这两首歌，在当时学生界曾广为流传，在反清革命的宣传中影响颇大。

辛亥革命民间木版年画雕版

马昌松

在辛亥革命武昌起义纪念馆里，珍藏着一块描绘辛亥革命民间年画雕版。它来自有名的木版年画之乡黄陂县张都桥村。这个村早在明代永乐年间就开始木版年画制作，到清代中叶即进入旺盛时期。当年这里雕刻印刷的木版年画销往湖北、江西、安徽、河南和甘肃等地区，甚至远销日本、朝鲜和东南亚各国。不过，那时的木刻年画，无非是"福禄寿"、"鲤鱼跳龙门"、"穆桂英挂帅"和"武松打虎"之类的题材。辛亥革命后，村民一改木版年画的传统题材，将这场革命中的重要人物和重大事件刻于木版，以表达人民群众的爱憎。现珍藏在武昌起义纪念馆的这块年画雕版，就是当地农民陈世宗捐献的，已成

为珍贵的历史文物。

这块木刻雕版长 63 厘米，宽 22 厘米，厚 3.5 厘米，其正反两面阳刻年画六幅。雕版的正面上端，雕刻着“开国孙黄黎都督”七个工整的楷字。下端刻的三幅画，是武昌首义革命军在汉口刘家庙与清军血战的场面。雕版的反面刻着“蓝天蔚大战山海关”、“宣统退印归汉”和“孙中山巡视武汉”。

如今，这块木刻年画雕版以其历史价值和艺术造诣，引起中外游客的瞩目。

两件遗墨忆往事

黄　铭

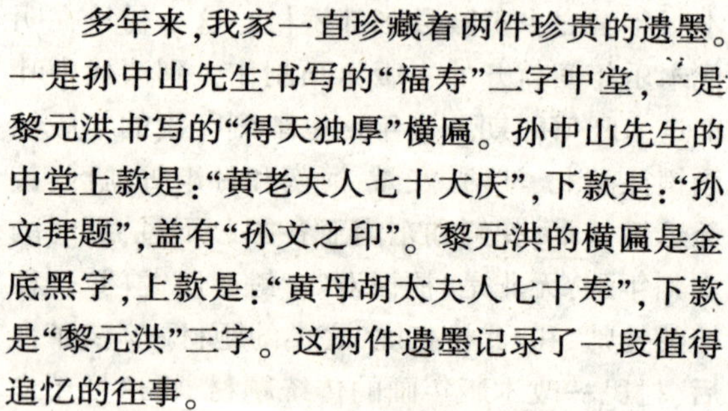

多年来，我家一直珍藏着两件珍贵的遗墨。一是孙中山先生书写的“福寿”二字中堂，一是黎元洪书写的“得天独厚”横匾。孙中山先生的中堂上款是：“黄老夫人七十大庆”，下款是：“孙文拜题”，盖有“孙文之印”。黎元洪的横匾是金底黑字，上款是：“黄母胡太夫人七十寿”，下款是“黎元洪”三字。这两件遗墨记录了一段值得追忆的往事。

我祖父黄申芗长年从事反清革命活动，常将祖母和子女丢给曾祖母照料，有时需要活动经费，也是曾祖母倾其所有，甚至典卖家产供给。1910年4月,为响应湖南长沙抢米风潮,祖父与焦达峰相约在湘鄂两省同时举事,被清廷侦知,祖父被通缉逃亡。此事传到我家乡,有人说:“一人造反,株连九族,村子将要夷为平地。”一时间,亲戚朋友和我家断绝了往来。曾祖母被迫带着全家七八口人离乡背井,流落江西彭泽县山里,过着饥寒交迫的生活。直到辛亥武昌首义后,举家才返回老家大冶。

1916年春,祖父与其他亡命海外的同志陆续返回国内。时值袁世凯称帝,祖父即参加策划讨袁。6月,袁一命呜呼,黎元洪继任总统,祖父受任总统府陆军咨议。同年9月,曾祖母七十大寿,孙中山先生和黎元洪分别派人送来中堂和匾额,以颂扬曾祖母对我祖父黄申芗从事革命所给予的坚定支持。

这两件遗墨我家代代相传,视为珍宝。1981年纪念辛亥革命七十周年,我将它们连同祖父所画墨竹一并捐献给湖北省博物馆和辛亥革命武昌起义纪念馆。

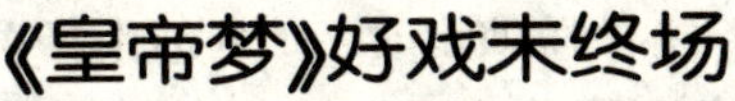

陶　石

刘艺舟十七岁时上书张之洞,要求变法,受到张的冷遇,深受刺激。后来去日本,入早稻田大学学理科，结识黄兴、宋教仁等，加入同盟会，走上了革命道路。他酷爱戏剧，不论新旧，都能自编自演，毕生就以此来宣传革命、揭露清政府的昏庸腐朽和军阀争权混战。由于他在编演时能结合当前形势，见景生情，借题发挥，因此屡次触怒当局，备受打击迫害，经常过着颠沛流离的生活，甚至锒铛入狱，一生充满传奇色彩。

1911年，他由辽东半岛乘轮船到威海卫等地演出，途中恰逢爆发武昌起义。他和剧团同仁一起，迫使日本船主将船开进港内，一举攻占了登州(今蓬莱)和黄县，被同仁推举为登黄都督，后改称烟济登黄司令。袁世凯篡权后，他不干了，拟南下投奔孙中山。途经上海被邀请重上舞台，“都督演戏”成为美谈。1912年4月曾来汉口大舞台演出他自编的《吴禄贞被刺》，揭露袁世凯的阴谋，引起轰动。二次革命失败，被迫流亡日本，以演剧自给并支援革命党人。

1915年为反对“二十一条款”，代表留日学生回国请愿，被捕入狱。袁世凯死后才获释。出狱后演出了京剧《皇帝梦》(又名《新华宫》)。此剧在汉口满春戏院演出时，他向河南督军张福来借来大将礼服，自饰袁世凯。剧的开头袁世凯在文武百官劝进声中择日登极。接着袁龙袍出台，唱了一段西皮：“孤王酒醉新华宫，杨皙子生来好玲珑。宣统退位孤的龙心动，哪怕他革命党的炸弹凶。孙中山革命成何用，黄克强本领也不中。天下的英雄虽然众，哪一个逃出孤的计牢笼。梁士诒理财真有用，虽然是民穷孤的库不空。”忽然内侍来报：“万岁爷，大事不好了，大太子闻听各省官民纷纷反对帝制，忧愁成病，发起疯来了。”接着袁克定上场，举拳打袁世凯，唱道：“袁世凯休把克定来唤，我是你祖宗袁甲三。”袁世凯顿时跪下，于是袁克定疯疯颠颠地教训他不该杀害党人、私通外国、梦想称帝，以致众叛亲离，现已离死期不远了。这时全场响起热烈掌声。谁知这一唱触怒了袁世凯的死党湖北督军王占元，遂密令夏口县缉捕刘艺舟。幸因有人通消息，他演到半道，来不及卸妆就从后台跳窗逃离了汉口。此后他长期流落湖北、江西、河南等地，但以戏剧鼓吹革命的初衷始终未变。

黎元洪重建归元寺

张康临

1915年12月，副总统黎元洪为重建后的归元寺，亲笔书写“归元古刹”的横匾，现尚悬于韦驮龛旁进门口。黎并将当年用作铺设电线杆的木料拨一部分给归元寺作修葺之用，又带头募化千缗。1922年归元寺新建藏经阁落成，他又题写了“三乘广运”四字。太虚法师所撰《重建汉阳归元寺藏经阁碑记》曾写道：“民国纪元，南北构兵，鏖战汉阳，寺既被毁，阁亦俄空。幸今大总统黎时方督鄂，愍然兴忧，施钱千缗为倡，因缘募化，始渐修复殿堂寮舍。”又云：“更谋募造经阁，经营两载，始告成功。大总统黎，湖北督军萧，皆赠匾以为庆。”即记其事。

辛亥荣军请恤难

贺鸿海

辛亥革命创建中华民国之后，在武汉三镇与清军作战而伤残的人员，一直为请恤而奔走，为生存而挣扎。这是在辛亥首义之地不该发生的憾事。

民国元年(1912)湖北军政府曾明令，要对八百多名登记在册的辛亥荣军从优抚恤。次年，鄂督黎元洪曾当众宣告，要按年抚恤，“终其身”。可是到这一年的12月，黎氏上调北京被袁世凯软禁，年恤成了泡影。接着北洋军阀段祺瑞、段芝贵先后督鄂，他们视荣军为异党“喽啰”，下令不准给恤，致使一些伤军沿门托钵哭泣于武昌三烈士碑前。1914年王占元统治武汉时，有人建议解决此事，否则会败坏政府声誉，王决定给恤三年。期满，经荣军恳求，续恤二年，到1918年又绝了恤金。一些荣军相约去天津求救于黎元洪，黎只好备函王占元，请其解决。此后，曾议定筹备荣军工厂，结果未实现。荣军又赴天津，黎遂函请武汉慈善会给予救济。几经交涉，仅一次性的发给每人救济金四十串钱。1921年荣军推举何正方等数人到广州找孙中山请愿。孙中山接见后，令湖北组织辛亥荣军善后督办处，由萧耀南任督办。决定由湖北纱麻四局发年恤每人七百元，不久又减至三百元。到1928年政府又决定改每年由冬赈委员会募得的赈款中列支一部分，有一百五十七位伤残义军各得救济金十元。同年，政府又决定将武昌首义公园交荣军管理，以门票、演出以及推销牙刷、图书等收入弥补生活。可是到1936年，武昌市政处发给荣军四十至六十元的遣散费，收回了首义公园的经营权。抗战胜利后，荣军仍无定恤，继续靠社会募捐和组织义演等收入为生。直到1949年4月，荣军还在为恤金向社会呼吁。

武汉解放后，这一问题才彻底解决。1950年至1952年，人民政府曾对30多名辛亥首义伤残人员进行生活补助。1953年全国首次进行革命残废人员等级评定时，辛亥首义荣军胡濂溪等二十五人分别被评为二等和三等革命残废人员，享受国家的抚恤和政治荣誉。

四十天围城挨饿记

陶名溢　遗稿　吴之光　整理

1926年7月，国民革命军从广州誓师北伐，8月直抵武昌城下。城防司令刘玉春、湖北督军陈嘉谟奉吴佩孚之命，关闭武昌城，据城死守达四十天(9月1日至10月10日)之久。全城居民多数断粮，饿死饿病不计其数。当时我家就住在城内。

关城之前，少数有钱人已闻风逃往汉口外国租界，绝大多数人则认为即使吴佩孚的北军要守，也不会守得太久，储粮故未备足。城门关闭了十多天，老百姓着了慌。曹祥泰、张万顺两大米厂被军队控制，其他米店早已被抢购一空。

糟坊里的大麦、粗高粱和酒糟都成了抢购对象。中药店的山药、苡仁米、红枣、莲子等亦成为充饥之物。

9 月下旬至 10 月初，困在城内的饥民，想尽一切办法活命度日。榆树叶掺米粉煮糊、紫阳湖里的荷茎捣烂做粑、粗糠炒熟磨碎搅羹，池里的蛙、街上的狗、家里的猫、地下的鼠、洞中的蛇等等，凡可充饥者，均充当食品赖以度命。

有一位与我熟识的朋友吴大成，家中罗掘俱穷，奄奄待毙之际，突然发现平时不经意随手抛往后院的蒜头长出的苗子，大喜过望，割来煮水度命。开城后，全家四口，三人双目失明，朋友们都异常难过。

我家遭难算是轻的。因为在我家所在的文昌阁附近有个军需仓库，士兵们常以高价向居民偷卖碎米、杂粮和发霉的馒头。为了活命，我家设法和士兵们“厮混”，买了一些口粮，度过了“不死”的三十多天。10 月 3 日，军阀开平湖门放饥民出城，我家才挤了出去。

有一位中学教师柯烈碚曾写一小诗：“夹道冬青充饮食，当窗蕉叶入庖厨；谋道之余应记取，平时也得事园蔬。”可算是对围城挨饿的解嘲。

武昌围城中的一幕

刘凤翔

1926年8月30日，吴佩孚从汀泗桥败退武昌，命第八师师长刘玉春和第二十五师师长陈嘉谟共同守城待援。

刘玉春下令将城内米店封闭，以作军粮。正觉寺(故址即今湖北省中医学院附属医院)乃城内大禅林，有僧人数百，储食之粮亦被查抄。城内居民以麸糠为食，继以草根、树皮、芭蕉心充饥。墩子湖(今紫阳湖)藕既食尽，藕蒂荷根亦皆用来果腹。饥民鸠颜瘦骨，既乏食物，又饮苦涩之井水，死亡陆续。街上无主之狗，寻啃露尸，双眼俱红。时省治安维持会会长程子端，目睹惨状，心甚不忍。遂往晤江夏县知事汪燊，嘱其出示晓喻各米店开门卖米。汪与程为黄冈同乡，程为其上司，既奉面谕，当即按程的授意贴出布告。刘玉春得知此事，咆哮如雷，派人将陈嘉谟请来，愤愤述及此事，陈答允查办。陈嘉谟与程子端颇有交谊，暗嘱程切勿外出。查办之事，经刘玉春一再催促，最后只好下了一个通缉令敷衍了事。

郭沫若和刘玉春的一段谈话

涂明庭

1926年10月10日,北伐军进入武昌城后,活捉了守城司令刘玉春。第二天,郭沫若去找刘玉春谈话。郭的自传《北伐途次》叙述了这一史实,还记载了两人的问答。郭的这篇文字是在事情过了六七年之后,仅凭自己的回忆写的。最近,我为了辑校关于武昌围城的史料,在1926年10月17日《汉口新闻报》的《革命军专载》栏目中,发现了一篇题为《革命军总政治部郭沫若科长和刘玉春的谈话》,照录如下:

时间:11日下午3时。地点:湖北省议会。室中布置:床桌、小凳、茶壶、沙发椅。刘在室内状态:完全自由。光头面黄,身材在北人中较矮。

郭:你很辛苦!

刘:惭愧惭愧! (沉默了一下)

郭:现在一般百姓很恨你!

刘:这是冤枉太冤枉! 只怪得吴佩孚、陈嘉谟,怎么怪得我?我是军人,我只晓得服从命令。

郭:军人服从命令,本来是很好的。不过你所服从的命令者是祸国殃民的人,这是你根本的错误。

刘:我是军人,头脑简单,我除服从命令外,不晓得什么。

郭：我听说吴逃时只叫你守七天的城，是不是呢？

刘：是的，他说在七天之内一定有办法。但是守了七天，守了十天，守了二十天，一月，还是没有办法，我也就没有法子了。

郭：你只晓得服从命令。吴只叫你守七天，你为什么要守四十天？你使城里的二十万同胞为你一个人受饿，甚至饿死许多人。今我要怨恨你，你为什么说是冤枉呢？

刘：(沉寂一下继续说)冤极冤极！

郭：并且还烧了许多民房，弄得百姓无家可归。你又纵使你的军队遍街抢劫。

刘：(抢着说)抢劫不是我的军队，是二十五师。至于火烧民房，使百姓受饿，那是没有法子的事体。因为要打仗，所以不得不这样。

郭：(叹息)你是军人。你晓得打仗究竟为的什么？难道你是硬要火烧民房，硬要饿死百姓来打仗的吗？我们革命军打仗的宗旨不是这样。我们这次出师北伐，专门为的是救百姓打仗，为求中国之自由平等打仗。我们的枪炮不消说有时要误伤百姓；我们的飞机不消说有时亦炸坏民房。然而百姓们知道：我们打仗是为他们打仗，不惟不怨恨我们，而且沿途都欢迎我们。我们的肚子饿了有人送饭吃，渴了有人送茶喝，从广东把我们一直送到武昌。百姓们是有眼睛的，他们是不会冤枉什么人的呢！

(刘没有说话)

郭:我替你说吧!你打仗的目的只是为的升官发财吧!吴佩孚只叫你守七天,你竟守了六倍的七天。在你的意思,以为吴佩孚有一天反攻过来,那你的湖北督办是千稳万稳了。这总不是冤枉你的罢?

(刘还是没有说话)

郭:你到过汀泗桥没有?

刘:没有。

郭:贺胜桥呢?

刘:到过。

郭:我在贺胜桥还看见陈嘉谟的八人大轿,他是跑路跑回武昌的。我看他亦太辛苦了!

(刘无语)

郭:我对于你还佩服你有点军人资格。可惜你不明大义,这是你根本的罪过。

刘:我是军人。我只晓得服从命令。

郭:我佩服你的也就在这一点。不过这一点并不能洗刷你的罪过。反是你一切罪恶的根源:譬如强盗服从他的首领的命令去杀人放火,正是构成他的死罪。

刘:我是军人。我不能不尊重名誉。到了打败仗总是心里不好过,所以我始终要把城守住。

郭:像你这样的军人,在吴佩孚部下亦不可多得的。我还晓得有一位陆沄,他在平江被我们打败了,他居然吞了铅弹!

(刘无语。至此谈话告终。)

叶挺守纪亲睹记

符　号

1927年5月，杨森、夏斗寅兵分两路偷袭武昌。当时，第廿四师师长兼武汉警备司令叶挺，把武汉军校学生和南湖兵团以及农民运动讲习所学员组编为中央独立师，以侯连瀛为师长坐镇武汉。叶挺亲领一团并第四军、第十一军的留守部队迎击叛军。

当时我是军校第二大队第五队的学员，被编入特务连内一个班任副班长，与班长蒋铭带一班人负责两湖书院校部(即独立师师部)的大门守卫勤务。一天，连长传来命令：在出发前夕，无论任何人，没有侯师长的手令，不许外出。

夜已深了，忽见两个官长从长廊那头边谈边向门口走来。蒋班长立即高喊："立正，敬礼！"我们值勤的四个人，一齐敬礼。官长还礼后，蒋又喊："稍息！"然后，他对两位官长又立正、敬礼，并说："报告官长，师长命令，没有放行条，任何人都不能出门。"

两位官长一声不吭，微笑着回头就走。不一会，他们拿来放行条，上写"叶师长与警备司令部参谋主任回部，请放行"，下署"师长侯连瀛"。

这时，才知道站在面前的就是我们敬仰的叶挺将军。在放行后，我们几个人啧啧称赞了好久，也成了我难以忘怀的一段往事。

“铁腕外长”陈友仁

贺鸿海

在 1927 年收回汉口英租界的斗争中，当时任武汉国民政府外交部长的陈友仁，慷慨陈词，有理有节，逼使英国当局就范，得民心，扬国威，被誉为“铁腕外长”。

1926 年 12 月 9 日，陈友仁随国民政府由穗迁鄂，这时英国公使兰浦生也从北京赶来，会见陈外长，想摸一摸底。会见中，陈外长坦率地说，英国政府应抛弃北京政府承认武汉政府，并废除与中国订立的不平等条约。兰浦生虽傲慢地说：现在谈“承认”似乎“为时过早”，但对陈外长的强硬态度感到震惊。1927 年元旦，英国水兵在武汉关广场制造“一·三”惨案(打死二人，伤数十人)。武汉民众在中国共产党领导下，掀起反英怒潮，强烈要求武汉国民政府收回英租界。当晚，陈外长召见汉口英国领事葛费，就“一·三”惨案提出严重抗议，并严正指出：必须马上撤走水兵，否则，由此引起事端，应由英方负责。葛费无奈，次日下令撤英水兵与侨民至江面

的军舰上。当晚在群众的支持下，汉口卫戍部队进驻英租界，实行管理。6日，葛费见英租界已趋平静，遂求见陈外长。葛费说：感谢中国政府帮助我们渡过了难关，我们打算让英国平民回到他们的住宅，仍由我们管理租界。陈友仁回答说：英国政府已经放弃了租界，租界的管辖权，事实上已归还给了中国。葛费惊讶地说：我们并没有放弃租界，也没有归还租界。陈外长斩钉截铁地说：在这块土地上已经没有留下一个英国人，怎能说没有放弃。这块中国领土，已为中国政府收回。葛费碰了钉子，只好灰溜溜地走了。12日，英国公使兰浦生又派参赞阿玛利从北京来汉，向陈外长再次要求归还英租界。陈外长仍坚持说，现在双方交谈，只能以现在新状况为依据。阿玛利强词夺理进行争辩。双方僵持不下，于是另行安排时间再谈。经过十余次交锋，阿玛利理屈词穷，2月19日晚，在武汉国民政府外交部双方签订了“陈、阿协定”，并于3月15日正式生效，英国人统治六十余年的汉口英租界(今江汉路至合作路)终于被收回。

李书城痛挽李汉俊

吴先铭

中共“一大”代表李汉俊，是我国传播马克思主义的先驱者之一。1926年北伐军攻占武汉后，任湖北省政务委员会委员、湖北省政府委员、湖北省教育厅长等职。1927年12月17日，与詹大悲等人在汉口日本租界寓所被桂系军阀胡宗铎、陶钧逮捕，同日深夜惨遭杀害，年仅37岁。

李汉俊被害后，辛亥革命元老、李汉俊的胞兄李书城极度悲痛。在李汉俊的追悼会上，他撰写了一副挽联：

枭鸟九头，死在泉壤难瞑目；

荆楚三户，终是暴秦掘墓人。

此联既满腔悲痛悼死者，同时也充分显示作者对反动势力的无比仇根。

黄侃怒斥刽子手

吴自强

黄季刚(侃)先生是著名的国学大师，素来刚正不阿，蔑视强暴。1927年秋，大革命失败后，新桂系鄂籍军人胡宗铎、陶钧赶走唐生智，分任武汉卫戍司令部正副司令，疯狂屠杀共产党人和革命志士，无数优秀青年倒在血泊之中。季刚先生对胡、陶的血腥罪行，切齿痛恨。一日他到汉口日租界怀安里3号他的长女黄念容家中探望，碰巧，女儿的同学、胡宗铎的妻子张行忠也在那里。季刚先生一见到张就怒不可遏。进餐时，他几杯下肚，就借酒泄恨，怒斥胡宗铎、陶钧是“混蛋”、“无人性”，“摧毁吾鄂青年一代，罪恶滔天”。还指着张行忠，要她警告胡宗铎：“不要做得太绝，杀人者人恒杀之，准没有好下场。”愤怒至极时，竟掀翻了餐桌，汤水四溅，杯盘碎片满地。张行忠面部一阵红一阵白，对这位老师，无可奈何。

季刚先生为何在女儿的客人面前如此动怒？这不仅因张为胡宗铎之妻，还因为张是胡的帮凶。此前，国共合作时曾任湖北省政府教育厅长兼武昌中山大学校长的李汉俊，被胡、陶逮捕后，陶钧要立即处决，胡宗铎还有些犹豫，说：“李汉俊是学者，要研究一下。”张行忠从旁说道：“研究什么？他是我的老师，我不比你清楚？他是共产党的头子，煽动力蛮大。”于是，李汉俊和詹大悲、危浩生三人，未经审判，在被捕当天深夜就在汉口水塔后边被害。

宋庆龄鼓励放足剪发

孙继善

北伐军胜利后，孙夫人宋庆龄为了配合妇女解放运动，在汉口创办了妇女训练班，吸收进步女学生和女工参加学习。

妇女解放运动的第一件事就是放足，训练

班的学员在新市场大舞台(即现在的民众乐园江夏剧场)召开了宣传大会,演出节目,宣传妇女缠足的危害。我的大姐也上台参加演出。我的母亲和大嫂也是那时开始放足的。由于我大嫂长得很美,原是小脚,亲友街坊们称之为“活观音”。放足后,被人改称为“半截观音”,并用流传的“三寸金莲人人爱,大脚婆娘像妖怪”民谣背地讥笑她。我大姐听后,理直气壮地反驳说:“庙里供的观音菩萨,就是大脚,谁敢说她是妖怪。”众人就再也不敢提了。

第二件事是提倡妇女剪短发,俗称短发为“搭毛”。在这之前,武汉妇女,除了未婚女子蓄辫子外,凡已婚妇女必须梳“粑粑头”。甚至女学生也梳成“辫子头”,即将辫子卷在头上。此时,许多妇女剪成了“搭毛”,于是有些守旧分子造谣惑众说:“粑粑头万万岁,剪搭毛的要枪毙。”但最后还是流行开了。

打倒封建隔墙

符其实

北伐时期,黄埔军校从千余名女知识青年中考选200多名组成女生队,施以严格的政治教育和军事训练。此事虽不绝后,总算空前。

军校校址在武昌两湖书院,女生队住在原

育杰中学旧址，仅一墙之隔，各走一个大门。不久，女兵们便说这是封建墙，来了一个打倒封建墙运动，并且动手推倒围墙。

校方向她们解释：隔墙只是隔队，男生队彼此之间也有隔墙，并不是封建，男女有别也不是男女不平等。还答应在被推倒的墙缺处开一小门，白天派一个卫兵，晚上上锁。这才解决问题。日子一久，卫兵也懒得派了，干脆来一个门虽设而常开。

萧耀南与“南方来客”

万木春

本世纪 20 年代初，湖北在北洋军阀统治之下。当时湖北督军兼省长、晋级为两湖巡阅使的萧耀南，可说是红极一时，目击两广革命军伸张北伐的虎虎声威，也想别营一窟，早为之计。他曾于督署花园的一隅另建一亭，名为有利于集中精力处理旁午公务，实则是便于接见南方私访来客。当时的“南方来客”确是一个热门话题。

黄冈西乡有一倒水河，上下游不过八里之遥，居住着三狂士：一为方瘖初，方杨湾人；一为刘晓籁，刘溪畈人；一为卢默公，卢家大湾人。他们相约开了一个荒唐的政治玩笑，诡称为南方派遣赴汉的和谈代表，乘坐三辆黄包车，堂堂皇皇地进入督军府，萧耀南即命打开中门迎接。三人入座后，侃侃而谈南北言和之利，语惊四座。萧事先无有准备，唯唯而已。惟黄冈乡人在督署幕中者窃窃私语，指若即乡人某，以其行迹献疑。萧以为世事波谲云诡，“有不速之客三人来，敬之，终吉”。

三人原拟在省求职，尔后即销声匿迹，折节各事所业。年余，萧耀南死。旋革命军北伐，南北易手，三人渐出，所业亦各有成。方寤初后入陆军大学，与林逸圣、万伊吾称为“黄冈三杰”(林、方、万毕业成绩名列前三名)。刘晓籁颇负诗名，后执教于艺术专科学校。卢默公历任知县，亦以能称。

夏斗寅问卜误军情

龙从启

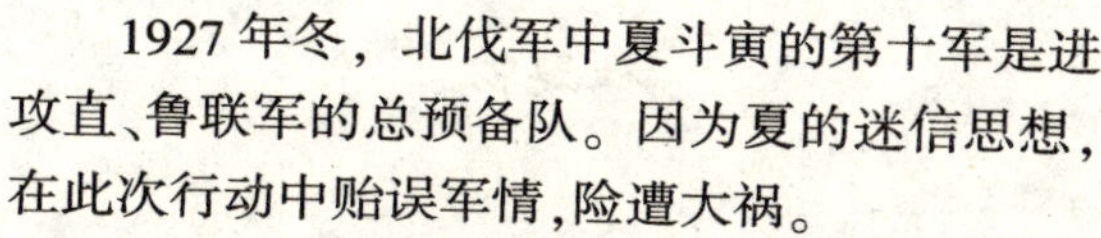

1927年冬，北伐军中夏斗寅的第十军是进攻直、鲁联军的总预备队。因为夏的迷信思想，在此次行动中贻误军情，险遭大祸。

夏斗寅系旧鄂军中行伍出身的军人，满脑子的封建迷信。他不仅于行军所到之处逢寺庙必拜，还随身带有罗盘一个、《万事不求人》和《皇历》各一册及五枚铜钱等四件“宝贝”。行军宿营时，打前站的为他找好了住房。他走到门口，就将罗盘取出，看看“风水”、“门向”的来龙去脉。如“门向”不对，再好的楼房他也不住，反而住进他所认为“门向”好的小房子里。一休息，他就用五枚铜钱来卜课，卜问第二天的行军吉利与否，并打开《万事不求人》，看看其中的解语，最后才决定行动。

1928年春，直鲁联军从津浦路左翼突破了山东济宁，直奔徐州附近九里山。此时，上级指挥官员要夏斗寅火速派队增援防御。夏斗寅打开《皇历》一看，这两天都标着是“黑道日”(凶日)，于是，他坚决不出发。上级的电话不断来催，他仍然我行我素。这一违抗军令的行为，蒋介石派来的参谋长朱怀冰是知道利害的，朱只好回答正在下达出发命令，再催时，也只好说已经出发了，把朱怀冰急得满头大汗。幸好友军把敌军堵住了，这才免了一场大祸。

吴佩孚倒车事件

杜楚材

1926年北伐车兵临武昌城下时，直系军阀吴佩孚乘火车仓惶逃遁，至黄陂横店，因车倒路塞，其状狼狈不堪。

这年农历七月三十，吴佩孚的三列军车满载着军队和物资，从汉口向北逃遁。当探路车开到滠口时，英国人在鸡公山歇暑回汉的一列专车，已到横店车站，停在一股道上。这时，站长接到吴部急电："军车已从汉口出发，经横店北上，如一股道有南下的列车，应迅速让到二股道。"当吴的探路车从滠口冲到离横店只有两华里的张棉油湾时，英国人的专车才被迫急转到二股道，让探路车通过了横店站。

横店站北四华里处的夏魏湾东边有个小山，中间辟有一条轨道，探路车顺利通过了。但探路车后的第一列军车，因车厢多，负荷重，虽加速前进，也感困难；紧接着开来的第二列军车，却毫无顾忌地向前急驰。当司机发觉自己的列车就要撞上前面的列车而紧急刹车时，已经来不及了。只听见"轰"的一声，就撞在前列车的车尾上。顿时车厢相继绷起和脱轨。在一阵阵震耳欲聋的轰隆声中，前列军车一节节车厢倒在轨道旁，轧死撞伤的士兵计有一百多人。肇事司机见闯下大祸，在慌乱中乘夜幕跳车逃走了。

吴佩孚的那列雕龙画凤的专车，尾随第二列军车后面，因车倒路堵，只好停在横店站台附近。吴下达紧急命令："加紧戒备，捉拿肇事司机，就地枪决；军队和当地民众火速清除轨道上所倒的车厢，继续北上。"可是，积塞在山槽中的车厢，一时无法清除。吴在一旁紧锁双眉，无可奈何，只得命令军队就地驻守，并令警卫火速去找轿子。

轿子一抬来，吴就连忙钻进去，同他一样装扮的随从副官骑一匹大白马跟随，在手持大刀长枪的警卫保护下，由杨正友、夏扬启、夏长宽、

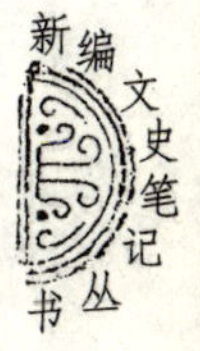

夏长久等人轮流抬着，沿铁路旁的小路北走。直到天亮，吴到孝感车站，才坐上北方来的火车向河南逃命。

“肉弹”陈怀民

陈泽群

武汉有一条“陈怀民路”，所纪念的是一位年仅二十二岁的青年陈怀民。

陈怀民论资历不过是航校刚毕业的学生，论军阶不过区区一少尉，但在 1937 年南京“9·19”空战中，击落过一架日本飞机。次年武汉“4·29”空战这一天，他被五架日机包围了，左冲右突，甩不脱它们，自己的子弹已罄，飞机受伤，操纵不灵，他拉起机头，来一个“最大性能上升转弯”，把自己的飞机向敌机机头撞击。当时武汉出版的《中国的空军》第十期载有丁布夫对这一刹那的描写："大地在屏息，每个人(观战的市民)心头卜卜的跳，只是在数秒钟的一刹那，陈怀民机已接近敌机，嘣！两机触处，火光四溅，浓烟巨浪般的翻腾在半空中，两条火流冉冉下坠，'肉弹'陈怀民与敌人同归于尽，全武汉的灵魂为之震惊。"当陈怀民的飞机坠落时，仰望空中而目力疲劳了的武汉市民，竟看不清陈怀民是否跳伞，也不知他坠落何处。有些老人们则好心地说，只要陈怀民跌落长江，"水是软的"，"飞行员都会游泳，肯定不会出岔"。次日即4月30日，武汉各报在报导了我机九架与来犯日机三十六架对阵，击落其二十一架的辉煌成果之后，也只提及陈怀民的骁勇，而避免使用"壮烈"一词，更不忍急忙地加上"烈士"的称谓，标题也留给人们以生还的希望："陈怀民空战未归。"于是一连几天，许多人还在四处寻找。

6月1日，隆重的公祭举行了。蒋介石亲自主祭，周恩来除作为军委会政治部副部长参加陪祭外，还代表毛泽东、朱德送了花圈。不过棺内装殓的仅是烈士的衣冠。典礼正准备举行时，忽然接到青山渔民打来的电话，说是烈士的遗体浮出江面了。渔民和农民珍重地把这具忠骸打捞起来，含着泪水把他送到汉口，装人空棺。

公祭后，曾有过拟议，把当年的日租界中的一条街改为"陈怀民路"，但由于日寇压境，国民政府仓惶西迁，顾不得施行。直至抗战胜利，才正式在这条街上挂出"陈怀民路"的标志，沿用至今。

黄冈农民义救美军飞行员

蔡天相

1945年1月14日，援华助战的十四号美军飞机迫降于黄陂、黄冈(今武汉市新洲县)交界之武湖舵嘴湖边。附近的滠口、黄陂、仓埠、周铺的日伪军即出动围捕，飞行员瓦特克拉培(译音)处于万分危急之中。这时，仓埠农民柳文礼正驾着渔船去舵嘴河铺卖鱼，一见此状，立即前去营救。开始，因语言不通，瓦特持枪相向。柳指心窝、打手势，几经周折才消除了其误会。不一会儿，附近农民鲁恕生、鲁济生、胡三、邓花子、邓腊狗、杨柏林、王安亭等也先后赶来营救。他们赠送衣物，让瓦特换装，并立即设法把飞机沉入湖底，随后，柳用渔船将瓦特载回松林湾家中隐藏。

瓦特在柳家住了三天，柳文礼一直在寻思护送瓦特去安全地带的办法。一天，他听说邻村黄春松自鄂东山区回来，立即找黄商量。黄曾当过兵，后改做小生意，常去鄂东山区黄冈县政府、湖北省鄂东行署驻地。他愿与柳一同护送瓦特进山。

护送途中，黄在前引路，柳在后保护。瓦特头戴一顶网罩帽(农村一种用棉线织成的罩住头脸、露出双眼的防寒帽)、身着一件长棉袍、脚穿一双粗布棉鞋、手提一只小竹篮，形似赶集的农

民走在中间。为策安全,柳又让妻陈氏、子绵启装成乞丐先行探路,以暗号传递讯息。在混过周铺、张店后,柳令妻儿返回。他们三人继续前进,日则藏于沿途破庙, 夜则顶风冒雪趱行。至22日,脱离敌占区。23日,到达黄冈县政府,受到县长谢自力的嘉勉。24日,谢亲自送他们到湖北省政府鄂东行署驻地三里畈, 李石樵主任慰勉有嘉,赏路费若干元,柳、黄坚辞不受。瓦特万分感谢,满含泪花,紧紧抱住柳、黄,连连用生硬的中国话说:“好兄弟,谢谢! 好兄弟,谢谢! ”

柳回家后不久,此事为日伪侦知,其家迭遭搜劫, 损失甚重。抗战胜利后,1946年8月29日, 美军驻华南京司令部参谋长赫士鼎奉吉伦二级上将第三十号令,给柳、黄颁发非军属人员功绩奖章各一枚。国民政府主席蒋中正亦签发国副考字〇〇五五一号令, 给他们颁发海陆空军褒状各一纸,以褒奖他们爱国抗日之义举。此二项褒奖,均饬湖北省第二行政区专署转颁。

周恩来为美国主教吴德施题词

陈　忠

在汉口鄱阳街原圣公会教堂后面, 有一幢二层西式楼房。自1904年至1938年,住着一位基督教美国圣公会鄂湘教区主教吴德施(Logn

Herbert Roots)，他曾为中国革命作过许多好事。

辛亥革命前，他积极支持反清革命团体日知会的革命活动。日知会被清政府破获以后，他又出面营救刘静庵、张难先等九人。抗日战争开始后，在1937年至1938年之间，吴德施的家成为支援中国抗战的国际友人在汉口的活动中心。安娜·路易斯·斯特朗、白求恩等都曾在他的家中居住。吴德施还向英美在汉人士为八路军抗战募捐，他所筹募的医疗物资由其大女儿亲自送往山西八路军总部，受到朱德总司令、彭德怀与左权将军的接见。后来，朱德、彭德怀曾到吴德施家作客。因抗战大业，周恩来、邓颖超也与吴德施常有联系。

1938年4月，吴德施告老回国，周恩来为纪念吴德施主教对中国人民的友谊，在汉口亲笔题词赠给吴德施。题词云：

兄弟阋于墙，外御其侮——这是吴主教在华四十年的最后宝获。

嘤嘤其鸣，求其友声——这是我们希望吴主教带回国去的福音！吴主教念存。

周恩来　一九三八年四月十一日

坚贞不屈的吴兆麟

吴自强

1938年10月，日本侵略军占据武汉，为施展其“以华制华”的诡计，四处拉拢曾在武汉地区有些声望而又甘作汉奸的人组织傀儡政权，一时不凑手，竟从遥远的北方找出在殷汝耕手下当过十年汉奸县长的张仁蠡，要他南来充当日伪汉口市长。张仁蠡系张之洞第十三子，他来后，企图依仗张之洞在湖北声望迷惑人心。那些留汉未走的旧官僚，如曾在北洋军阀时当过省长的何佩镕、国民党统治时曾任湖北绥靖公署参谋长的杨揆一、辛亥革命后任鄂军第一师师长曾参加反袁讨袁战争的石星川等纷纷落水，成为民族罪人。

曾任辛亥武昌起义时进攻湖广总督府临时总指挥，后授陆军上将的吴兆麟，也成为日本侵略军妄图猎取的对象。日军派前第十五军军长刘佐龙之子刘权上门，请吴兆麟出任伪参议府首席参议，几遭谢绝。接着，前日伪汉口维持会长计国桢，又奉日本侵略军头目之命逼吴氏出任伪和平救国军总司令，吴仍坚决拒绝。

吴氏原住汉口永盛里九号，为摆脱日伪纠缠，称病住进汉口天主堂医院，不久又秘密迁往汉口郊区唐家墩四十六号吴松茂板厂楼上。然仍避不开日伪的目光，日伪警察分局局长王志超跟踪住到同一楼上，门户相对，严加监视。吴氏则闭门不出，潜心佛典，实则痛国土之沦丧，哀民族之危亡，因而心情抑郁，不到三年就含恨而终。

李百川演剧怒斥汉奸

余文祥

1938年武汉会战，在郭沫若、田汉的领导下，举办了“留汉歌剧演员讲习班”。田汉为“讲习班”创作了班歌：“把舞台当炮台，剧场当战场，让每一句话成为杀敌的子弹，让每个观众拿起救亡的刀枪!”这首歌词，对楚剧演员的教育颇深，影响很大。

1942年，楚剧名优李百川，在汉口美成剧院(今清芬剧场)演出全本《杨家将》。他在“探母回营”一场中饰四夫人，特地赶写了一段“四郎见娘会妻”的唱词，借古讽今，痛快淋漓，把汉奸卖国贼骂了个狗血淋头。这段唱词是：“见延辉不由我又悲又气，我杨家忠心保国万死不辞。战敌寇三个兄长疆场战死，担心你失踪被擒断绝消息。不料你图安乐投在敌人营内，全不想沙滩赴会惨痛的败局，全不想中华版图来之不易，怎忍心锦绣山河变成废墟。有多少好男儿葬身异地，

有多少好姐妹被敌奸污。岂不知强权之下哪有公理，你竟然鲜廉寡耻娶敌女为妻。国恨家仇你全抛弃，醉生梦死你枉披人皮。实指望杀敌人你能奋战到底，又谁知你贪生怕死卖国投敌。说什么盗令回营有情有义，见婆母卑鄙无耻哭哭啼啼。分明是贪图富贵充当奸细，你休想探听我营军事机密。我杨家绝不容你这无耻败类，请太君快传令斩他首级。”

李百川在台上义愤填膺，慷慨悲歌，一字字，一句句，如匕首，似投枪，射向汉奸卖国贼的心脏。台上台下，犹如抗日战场。事后，李百川收到了一封装有子弹的恐吓信，他若无其事地笑了笑，表现了一个楚剧艺人对祖国无限热爱，对日本侵略者和汉奸强烈仇恨，以及对抗战忠贞不渝的英雄本色和豪迈气概。

郭沫若诗赠沈云陔

余文祥

1938年4月1日，国民政府军事委员会政治部第三厅正式成立，郭沫若任厅长。9月，著名楚剧表演艺术家沈云陔和二百多名楚剧演员参加了郭沫若、田汉领导的战时歌剧演员讲习班。九十月间，为响应三厅“不为敌人歌舞”的号召，并根据三厅决定，沈云陔、王若愚、高月楼等组成一百三十五人的问艺楚剧抗敌宣传队第二队(简称“问艺二队”),撤离武汉。1939年3月抵达重庆,并在“一园”戏院公演。

后来,戏院被敌机炸毁,问艺二队全体成员生活无着,沈云陔拿出自己的积蓄来维持,但为数有限,不得不到处求援、借债。剧院修复后,沈云陔登台演出《岳飞》、《新雁门关》等戏,积极参加抗日救亡活动,并与川剧艺人建立了深厚友谊。在四川近八年的时间里,沈云陔等人为爱国宣传活动作出了贡献。1946年问艺二队返汉前,郭沫若特赠沈云陔七绝一首:

一夕三军尽楚歌,霸王垓下叹奈何。
从兹艺事浑无敌,铜琶铁板胜干戈。

郁达夫妙联解嘲

青 子

1938年4月,郭沫若在武汉就任军事委员会政治部第三厅厅长。三厅任务是动员各界参加抗战和对外宣传。三厅包括三个处,第五处管一般宣传,第六处管艺术宣传,第七处管对敌宣传。郭沫若提出拟请郁达夫任七处处长,因为他曾留学日本,精通日语,又有很高的知名度。此时郁尚在福州,郭一连发了几次邀请电报,请郁速来武汉,郁接电后决定应聘,但因事在浙江丽水滞留多日，延至3月底才到达。七处处长悬缺过久，已由三厅副厅长范寿康兼任。于是经郭沫若奔走，给他安排一个政治部“设计委员”的职务。这虽是个闲职，但郁达夫仍然很认真地执行任务，首先是去各战区视察。原定职务的变更，郁达夫是知道郭沫若的苦衷的，但也有点小小的不快，加上此时他的家事横梗在心，于是题了一副对联自我解嘲：

设无此席，何以为计；
委不出去，聊备一员。

此联妙在嵌上“设计委员”四字而不着痕迹，信是才人手笔。

丰子恺画大树和炸弹

王肇槐

1938年3月中旬，著名画家丰子恺应开明书店汉口分店的邀请，从长沙来到武汉。当时武汉抗日救国气氛浓烈，群情沸腾。丰子恺与武汉朋友一见面就激动地说：“一到汉口，仿佛睡醒了！”

在武汉期间，他到处奔走，积极从事抗战宣传工作。有一天，他在武昌乡下发现一株被人砍伐大半截却仍枝繁叶茂的大树，触景生情，便联想到：这不正是中华民族的象征吗！于是，他以这棵大树为题材，奋笔画了一幅漫画，并题诗一首:“大树被斩伐,生机并不绝。春来怒抽条,气象何蓬勃!”随后,他又写了一篇题为《中国就像一棵大树》的文章,以表达他对祖国和人民的希望和热爱。

那时,武汉常遭日机空袭。丰子恺目睹敌人的暴行,非常气愤,连续创作了《我愿化作天使,空中收炸弹》等宣传画。是年4月29日,武汉空战大捷,他欣喜之余,赋诗词六首,有:“花雕美酒饮千盅,谈话有威风”之句。

在汉期间,丰子恺还满腔热情地收集抗战漫画,并编辑《抗战漫画集》,亲自为每幅画配上说明文字。此书后来由汉口大路书店出版。

抗敌演剧六队队歌

舒 焚

我们带来救亡的火种,走遍祖国广大的城乡、山林,冒着急雨、狂雪、霜冰,不怕暗夜、风沙、泥泞。我们从敌人屠刀下冲出,痛尝够亡国的残害耻辱,遍身被同胞热血染红,满怀牺牲决心和最大的愤怒。祖国被敌人颠倒欺凌,破碎了山河、国、京,分离了家庭、亲友,抢去无数财产,杀死无数生命。(重复首四句)我们把烙痕在人民脑底深印,吹响了警号嘹亮心惊,燃起广大的救亡烽火，消灭那吃人魔鬼和历史的阴影。神圣的抗战全国掀起，誓死反抗残暴无理，奋力争取生存独立，建立新的中国在新的世界里。（重复首四句）

这是1937年10月在武汉成立的平津学生抗敌移动剧团(“平津”二字不久改为“战区”)的团歌。军委会政治部第三厅把该团改编为抗敌演剧第六队，于是，这支歌就成了抗演六队的队歌。歌名是《我们走遍祖国》，歌词作者是抗演六队队长陆万美，曲谱作者是歌咏组长殊冰(张君亮)，和声作者是著名音乐家冼星海。

抗演六队于1938年9月至1941年春，先后在鄂东、皖西、皖中、皖东北、苏北、鲁南进行抗战宣传演出，《我们走遍祖国》这支悲愤、雄壮的歌曲，随着六队的足迹，响遍所经各地，深受广大军民喜爱。

洪深带头争饭吃

舒　焚

1938年夏，军委会政治部第三厅所属十个抗敌演剧队以及其他宣传队伍，在武昌县华林第三厅集中军训的一个月期间，各队抗敌宣传工作加紧进行。大家工作热情极高，常因外出宣传，往往误了开饭时间，而包饭人稍过一点时间，就不开饭了。

著名戏剧家洪深教授，当时担任艺术处戏剧科的科长，得知大家忙了一整天都饿着肚子，十分气愤。于是，他特别来看望大家，并说："大家为抗战辛勤努力，包饭人却只图赚钱，叫大家枵腹从公，这样对待抗战工作，行吗？大家跟我去，向他争饭吃！"

包饭人看见佩着上校领章、戴着深色眼镜的洪深，率众怒气冲冲而来，知道事情不妙，只好支吾其词地说什么饭菜已被先回来的人吃完了。洪深和走在前面的几位同志闻言，立即揭开几个饭甑和菜盆，指着里面满满的饭菜质问道："这是什么？"此时，洪深又将已掌握的包饭人克扣、贪污的材料，当面揭发，怒责他"喝兵血"。大家听了，更加气愤，有的人还高喊"打！打！"洪深一面叫大家安静，一面问包饭人："你说吧，怎么办？"包饭人理屈词穷，只得承认错误，赶紧把饭菜端给大家吃。

一本电报密码的故事

陆炳熊

抗日战争初期，蒋介石将全国划分为十二个战区。1938年2月，蒋介石任命程潜为第一战区司令长官(司令部在郑州)，晏勋甫为参谋长。蒋因抗战需要,虽重用程潜,但对于这位军界元老并不放心。晏勋甫曾在军事委员会南昌行营任第二厅厅长,与蒋介石朝夕共事,得到蒋的信任。派晏为参谋长,名义上是辅助程,实际上是监视。蒋为表示对晏的亲信,和宋美龄一起设宴为晏勋甫饯行。宴毕,蒋把一本电报密码亲自交给晏,嘱咐他留心程的行动,随时用密电直接联系。

程、晏两人,先前很少往来,在第一战区司令部才开始同事。晏的性格爽直而热情,程则豁达大度, 有儒将之风, 两人相处很融洽。到了1939年初,因战事需要,在西安成立西北行营,程潜任行营主任,晏勋甫任参谋长。程、晏两人经过一段时期共事,加深了相互了解。程对晏真诚相待,肝胆相照,两人成为无话不谈的莫逆之交。有天晚上,晏勋甫把蒋介石派他暗中监视程的经过向程潜和盘托出, 并把蒋的电报密码本给程看了。程得知此事,十分气愤,自此对蒋产生了戒心,把晏看成最忠诚的好友。

晏勋甫是我岳父, 电报密码的事是他亲自对我讲的。

刘斐喜得周公迪

刘沉刚

抗日战争中,武汉于1938年10月25日撤守，长沙便暂时成了军政人员驻足之地。军委会的各部、会高级长官都往那里集中，我父刘斐(时任军令部第一厅中将厅长)也到了长沙。在长沙，他参加了以检讨作战经过为中心内容的高级军事会议，也就是“南岳会议”的预备会。会后，军政重心又暂时移到了衡山。

在长沙时，唐生智(抗日战争初期曾任南京卫戍司令长官) 于11月7日下午在寓所大宴其客，前往赴宴的有军委会政治部副部长周恩来、政治部第三厅厅长郭沫若、总参谋长何应钦、军委会办公厅主任贺耀祖以及刘斐等。

宴毕，刘斐便与周恩来和郭沫若一同乘车前往衡山。一路上，他们坦诚交谈。周恩来对抗战形势和国共合作的精辟分析，使我父获益甚多。后来，他以此事告诉友人骆介子，并深有感慨地说：“衡山一席话，胜读十年书！”1983年4月，骆介子《悼念刘斐同志》诗云：“负笈东瀛夸造诣，归来抗日有先声。衡山喜得周公迪，更使英雄获晚名。”

王冷斋的抗战感怀诗

曹立庵　遗作　陈溏红　整理

王冷斋(1893—1960)，福建省闽侯人。“七七事变”前，他任河北省第四区行政督察专员兼宛平县县长。1937年7月7日，日方借口士兵失踪，提出进宛平城搜查，并要中国驻军和城内居民都退出宛平城的无理要求。作为我方首席谈判代表的王冷斋，义愤填膺，严词拒绝。日军即炮轰宛平城和芦沟桥。我二十九军官兵奋起抵抗，重挫日军。可是当局发出不抵抗命令，要他平息事端，气得他咯血不止。京、津沦陷后，王冷斋抱病携全家迁往香港，寓居九龙界限街。

1938年，武汉沦陷前，我随家伯避居香港，居九龙英王子道，与王先生近在咫尺，时相往还。使我百思不解的是，这位与敌人有不共戴天之仇的爱国者，怎么每周两次请来琴师学起京胡来了呢？事隔多日，叩问其故，他为我写了一首七绝，才揭开了这“弦外之音”的奥秘。诗曰：

鲸鲵未掩剑长鸣，回首觚棱黯旧京。
虏肉餐余胡血饮，男儿始足快平生。

原来他是借京胡之音，神思旧京的“觚棱”(即宫阙上转角的瓦脊)以抒发他忧国怀乡、壮志未酬的爱国者的情怀。

抗战第二年，作为爱国军人、地方长官的王冷斋，经历了“七七”抗战的实践，看到国共合作，全民抗战的大好局面，坚信胜利是属于我们的，写下了《剑南小出塞曲》这首诗，我珍藏了四十八年，“虽多尘色染，犹见墨痕浓”。诗曰：

全师出雁塞，百战运龙韬。
金络洮州马，珠装夏国刀。
度沙风破肉，攻垒雪平壕。

明日受降处，甲齐熊耳高。

熊耳山在河南省西部，海拔 2094 米。“甲齐熊耳高”，是说一旦日军投降，丢弃的盔甲将会堆得和熊耳山一样高！今天重读此诗，仍然震撼着我们的心灵。

抗战胜利后，由于抗日战争起于宛平，作为战胜国代表之一，王冷斋参加了日本东京远东国际军事法庭对日本战犯的审判。实现了诗中“男儿始足快平生”的壮志。

郁达夫和冯玉祥的“丘八诗”

胡绍轩

冯玉祥先生的诗，别具一格，自称“丘八体”。抗战时期，他写过像这样的诗一千余首，并出版了《抗战诗歌集》。我与他是在 1938 年 3 月 27 日在汉口“中华全国文艺界抗敌协会”成立时相识的，两人都被选为理事。我曾写了一篇书评，谓：自“五四”以后，中国诗坛上就有了所谓“胡适之体”的诗歌，可是，在这次神圣的抗战中，中国的诗坛上又建立了一种“冯玉祥体”的诗歌了。虽然冯先生很谦虚地称他自己的诗为“丘八诗”，正因其为“丘八”，所以才能成为一种“冯玉祥体”。冯读了我的评论非常高兴。

1937 年冬，著名作家老舍在济南沦陷前夕，

毅然离开夫人胡絜青和三个小孩（最大的四岁，最小的不满百天）来到汉口，受到冯的欢迎。冯派人接到武昌千家街福音堂（他的办事处）住下，并写了两首诗：

老舍先生到武汉，提只提箱赴国难；
妻子儿女全不顾，赴汤蹈火为抗战。

老舍先生不顾家，提个小箱撵中华；
满腔热血有如此，全民团结笔生花。

1941年11月14日是冯的六十岁生日，周恩来、郭沫若、茅盾、黄炎培、陈子展等人都写了祝寿文章或贺诗，其中最有趣的是郁达夫从新加坡写来的一首。这一年的11月中旬，有一天我去重庆冯寓"高庐"为他祝寿。他兴致勃勃地向我出示了郁诗的原稿。题为：《冯焕章先生今年六十，万里来书，乞诗为寿。戏效先生的诗体》。诗云：

马二先生真好汉，能屈能伸能苦干。
昔从西北练精兵，今到中央弄笔杆。
莫嗤丘八变诗人，杜甫伤时涕泪新。
萁豆相煎何太急，英雄虽老岂轮囷。
抗战今年将胜利，加强团结全民意。
同室操戈大不该，先生呼吁声声泪。
六十年间教训多，从头收拾旧山河。
预期直捣黄龙日，再诵南山祝寿歌。

驻汉侵华日军策划拒降

吴自强

驻武汉侵华日军头目在日本天皇宣布无条件投降后，仍顽固拒降、策划流窜。

据曾在汪伪军委会政治部保卫部任武汉区长的张孟青回忆：1945年8月15日，日本投降的消息传到武汉，日军怨气冲天，汪伪汉奸乱成一团。汪伪头目邹平凡奉日军华中派遣军冈部直三郎和汉口联络部长福山太一郎之命，邀约汪伪军头目到五花宾馆(今汉口黄陂路江岸区政府处)开会。

开会当日上午，邹平凡(伪第十四军军长)、李宝琏(伪第十三军军长)和师长古鼎新、金亦吾、张启璜、李吉苍及《大楚报》社长胡兰成暨张孟青等多人慌忙奔赴五花宾馆等待。不一会，福山和他的随从也乘车到达。福山环视一周，说："我们今天本着'共存共荣'的信念，和各位将军讨论'图存'办法。"他特别强调："日本帝国虽已宣布投降，但皇军并未战败，我们华中派遣军保有全部实力，贮藏着足够十万人作战五年的武器装备和给养，如能同各位将军联合起来，力量更大。我们打算全部开进鄂南赣北山区，长期隐蔽。新四军来攻，我们与蒋介石合作；蒋军压境，我们就向新四军随机应付,就会东山再起。现在要求大家与皇军合作,共同行动。"稍一停顿,福山站起来厉声发问:"各位赞不赞成?赞成的举手!"伪军头目们惊恐失色,一致起立举手。福山指使他的随从即景拍照,又拿出事先准备好的本子,要汉奸们签字画押。这时福山才露出笑容,得意而去。18日,福山再到五花宾馆,询问正在议论的伪军头目,并向大家宣告:昨天会议大家表态,冈部司令官非常满意,要再问大家是否还有三心二意?大家齐说"一言为定",福山称赞"好极!好极"!

过了几天,汪伪湖北省党部主委黄大中暗中与邹平凡等人商议电蒋介石致敬,由胡兰成执笔。电文发出后,在《大楚报》头条刊出。就在当天,福山拿着报纸到五花宾馆大声吼叫:"这是什么?这是什么?你们答应和皇军共同行动,现在口是心非,不行,不行。"并怒气冲冲拳击桌子,桌上茶杯倾倒,水流一地。汉奸们吓得丧魂失魄,面面相觑。

其实侵华日军拒降不只武汉一处,这些活动直到日本天皇裕仁派皇族雍仁亲王秩父宫匆匆来华,向日本侵华派遣军总司令冈村宁茨和各地司令宣达投降意旨,要他们不得另生枝节,驻武汉日军拒降流窜的阴谋才告破灭。

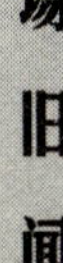

罗荣衮诗寿吴佩孚

张剑南

吴佩孚虎踞洛阳，1923 年值五十寿辰，一时贺者冠盖云集。湖北夏口县(今汉口)县长罗荣衮，系黄冈(今武汉市新洲县)人，为湖北督军萧耀南之小同乡，附萧骥尾，备仪祝贺。罗为人精干，善于官场逢迎，侦悉吴喜诗词，倩人作诗两首，随寿仪以献。

一

悬弧时节百花开，人是蓬莱顶上来。
岳降钟灵生吉甫，策勋留像画云台。

延年不纳烧丹术，屈指推为济世才。
我亦将军门下客，愿同介寿祝金杯。

二

不辞百战挽银河，五十余年鬓未皤。
三月韶光过上巳，两湖春水化恩波。
云开甲帐金樽满，风送梅花玉笛和。
此日军门牙纛静，汉南士女尽欢歌。

吴生辰前夕，曾因事问卜以决疑，得一《损》卦，象曰："山下有泽，损；君子以惩忿窒欲。"正揣摩间，见罗诗，中有"两湖春水化恩波"句，切中卦象"泽"字，喜甚，见示于左右，拟擢之，适有人谮罗多内宠，故留置未发。事后，为幕僚传出，于是官场中流传："作诗莫求工稳，得句只求射隐"之语。盖诗为先父宜公代笔，我读其笔记故知之。

伪市长戒烟贼喊捉贼

程　华

张仁蠡曾任日伪武汉特别市市长达四年半之久，可算是当时日伪省市长中，任职较长的一个。张鸦片烟瘾极大，但深为隐讳，平时赴日伪市府时，雪茄烟经常不离口，或是用一根细长的烟嘴吸香烟，以免来人靠近闻到鸦片烟气。连最亲近的幕僚也绝不在烟榻边论事。

那时鸦片烟是公开的，戒烟局其实是卖烟局，售吸所遍及大街小巷，吸食者都领有戒烟局的执照，并能从戒烟局配购到烟土。但张仁蠡与人谈起鸦片烟来，总是冠冕堂皇地说，鸦片烟怎样的害国害民，同时还正式宣布，凡在市府及所属机关供职的人员，如有吸食鸦片的，必须立即赴市立医院戒除，否则一经查出，立即撤职，绝不姑息。不知情者见张如此雷厉风行，尚以为他不吸食，实则张所吸较人为多，此举不过贼喊捉贼而已。

一场焚烟土的假把戏

成　鹏

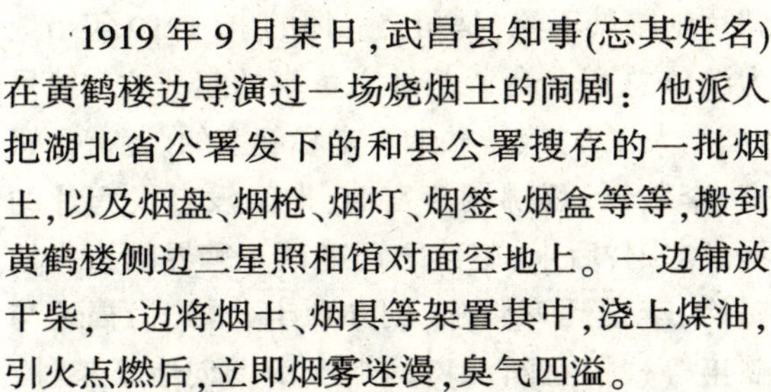

1919年9月某日，武昌县知事(忘其姓名)在黄鹤楼边导演过一场烧烟土的闹剧：他派人把湖北省公署发下的和县公署搜存的一批烟土，以及烟盘、烟枪、烟灯、烟签、烟盒等等，搬到黄鹤楼侧边三星照相馆对面空地上。一边铺放干柴，一边将烟土、烟具等架置其中，浇上煤油，引火点燃后，立即烟雾迷漫，臭气四溢。

县知事与第一科科长贺英武及警察五署署长张绥青、省署代表候补知事余维翰、道署代表内务科长张师善和商董代表易正大、盛福昌等人，都坐在听笛楼品茗，说是就便监视。还有巡官巡长等在场照料一切。等烟土烧完后，监视人员又命令夫役将残烬装进箩内，押送到江边雇划子摇到中流处抛弃。

官员们自以为“禁烟”的大功告成，群众则说是掩耳盗铃的把戏。著名报人蔡寄鸥在《正义报》上发表了一篇《禁烟土》的诗歌：

黄鹤楼头风怒吼，大批鸦片如山阜。我闻掷地抛金声，可怜一炬成焦土。黑雾漫天臭逼人，两旁观者皆却走。惟有瘾客心怦怦，有泪在眶涎在口。恨不置身汤火中，焦头烂额救良友。掩面不救可奈何，幸我尚有逋逃薮。吁嗟乎！陆路种烟烟如林，水路运烟烟如囤。煌煌禁令复何益，安得天下烟苗一例焚。君不见某某达官充土贩，一批能赚钱千万。

蔡寄鸥的感慨并不是凭空而发。在旧社会，鸦片烟屡禁不绝，是司空见惯的事。1919年当选为汉口总商会会董兼外交董事的赵典之（绰号“烟土大王”），就是靠烟土走私起家的。还有鲁履安、李紫云、程拂澜等富商，谁又没有发鸦片的不义之财？后来，赵典之还邀请军警界的头头杜锡钧、李耀廷为股东，创办顺丰公司，为福记与顺丰等栈司垄断汉口的烟土市场创造了条件。汉口的烟土来自云、贵、川、湘和恩施一带，除销往鄂南与汉水以东各地外，上海与河南等地也来汉口进货，全盛时每月烟土的吞吐额高达一百五十万两左右。

借人头刘峙庇毒犯

丁绥之　口述　李义聪　整理

30年代，黄陂东乡丁家岗(今属蔡榨镇)有一丁玉峰者，在郑州开设盛丰转运公司并经营吗啡，发了大财。为找靠山，不惜重金贿赂河南卫戍司令刘峙、郑州警备司令蒋仇欧等。

1934年到1935年间，蒋仇欧奉调出国考察，郑州警备司令职权由副司令蒋扶生取代。此时，丁转贿蒋扶生，馈以吗啡、金银如故，但蒋未予收受，并依据贿件逮捕了丁玉峰，查封了盛丰转运公司及其制毒工厂。原来蒋仇欧受贿独吞，正副司令早有利害冲突。蒋扶生向蒋介石电呈逮丁详情，企图达到邀功并弹劾蒋仇欧之目的。其时蒋介石正在南昌，复电将丁解到南昌究处。

丁玉峰到南昌后，自感末日来临，因而在复审时只图免受酷刑，如实招供。南昌军法处审讯结果，判丁死刑。几天后，《江西日报》登载了"毒品犯丁玉峰已被枪决"的新闻。

正当丁家祭奠亡灵之时，忽报丁玉峰已乘轮船回到武汉。原来是刘峙在丁将伏法前，飞抵南昌"汇报军情"，从中力保，用偷梁换柱的手法，将另一黄陂鸦片犯任某做了丁玉峰的替死鬼。

居正岂敢居正位

胡楚藩 遗稿 吴海涛 整理

1948年春,国民党在南京召开“行宪”的“国大会议”。依照规定,选举正副总统。关于总统这一宝座,谁也不会怀疑蒋介石独占鳌头。为了点缀“民主”,当权者特授意国民党司法院长居正“陪选”总统。有一天,湖北旅京同乡会在中央饭店柬请湖北籍国大代表。安陆县国大代表耿伯钊发言:“居正者,居正位也!我提议我们一致拥戴居觉老(居正号觉生)竞选总统。”耿的语音未落,全体代表立即响起巨雷般的掌声,表示热烈赞成。这时居正频频摇手说:“我怎么能竞选总统?大家不要开玩笑!总统一职只有蒋先生才能胜任。”蒋介石得悉上项消息,当晚就打电话给居正说:“我很赞成觉老出来竞选总统,请你以国事为重,不要谦辞!”居正说:“这是同乡们开玩笑的话,我哪里会搞这个事?”蒋、居两人电话结束后,居正马上挂专车星夜去沪,直至国大会议闭幕后,他才回到南京。

一百五十天的省长

许恺景

从1914年起到1920年，北洋军阀王占元任湖北军务帮办、督军，已达七年之久，他独断专行，搜刮无尽。湖北军政长官本省人少，当时湖北在京同乡遂有“鄂人治鄂”之议，请于总统徐世昌，徐特委湖北人夏寿康为湖北省省长。

夏到任后，曾到督军署拜会王占元，孰料一个小插曲引起一场风波，夏也险些丧命。原来夏喜用“二毛珠”铜质水烟袋吸丝烟，王即用此物招待。晤谈中，王曰：“湖北丝烟可称名产，其他物资亦颇丰富。”夏回答：“湖北物产确实好而且多，皆缘土地肥沃所致。”说者无心，而答者亦无意，然而因贪赃心虚的王占元听后，却深感夏讽其“刮地皮”，自此心怀嫉恨。

一日，夏拟渡江至汉口，王遂派卫队驾车护送。刚出汉阳门时，突遭一人持手枪伏击未中。夏之两名保镖立时将射击者抓获，带往汉口审讯，乃王所遣之刺客。继而，王又派兵包围省长公署，夏甚为恼怒，一气之下，北上回京。夏从接任到离任，前后仅一百五十天。

王正起捕捉安得海

王惠超

清同治年间，太监安得海受慈禧太后宠信，揽权纳贿，干预朝政，气势嚣张。同治八年(1869)秋，慈禧派安得海往南方“置办龙衣”。安带领太监、镖手及随从离京，乘楼船两艘及小船数只经运河南下，张扬跋扈，不可一世。他的座船悬挂“奉旨钦差采办龙袍”大旗，船两边有龙凤旗帜，内有女乐弹奏，并雇有妓女作乐。八月二十一日，他在船上过生日，中设龙衣，身坐其间，男女随从，列队跪拜。

船到山东德州，声势更为显赫。山东巡抚丁宝桢闻讯后，密嘱德州知府赵新俟机擒捕。赵计较利害，不敢捉拿。安得海的船只扬帆南下，驶抵临清州，因水浅难行，改乘车马走旱路。

丁宝桢接到赵新的“夹单密禀”，一面以“太监出京招摇煽惑缘由”上奏，一面命东平知府程继武、济宁知州王锡麟跟踪查拿。程带领骑兵追赶三天不敢动手，丁只好请敢作敢为的总兵王正起出马。

王正起是湖北省黄陂长堰乡（今属武汉市)人。咸丰三年(1853)从军，胆略过人，时年三十六岁，任山东总兵，后升提督，诰封振威将军。他恶安得海胡作非为，岂能轻易放走，立即带领人马追到泰安，见到安得海的车辆马匹，将其包围起来。安有恃无恐，气势汹汹地说："我奉皇太后命，去苏州采办龙袍。谁敢侵犯，是自寻速死!"王正起两目圆睁，亲自上前，先摘去安得海的蓝翎大帽，然后扯倒，令部下将他捆绑起来，押解济南讯处。王正起主张就地处决。丁宝桢也准备先论罪正法，以后虽受谴无憾。这时泰安知县何毓福赶来，长跪力谏，恳请稍加等待。

慈禧接到奏折，心虚惊慌，一时不知所措。东太后慈安便召恭亲王奕䜣、军机及内务府大臣商议。奕䜣和大臣们都说："祖制太监不得出都门，擅出者死无赦，应当就地正法。"决定作出后，因事关慈禧太后，朝旨留中两日难下。醇亲王奕譞又启奏催促，清宫才宣传上谕："该太监私自擅出，并有种种不法情事，若不从严惩办，何以肃宫禁而儆效尤。着山东、江苏、直隶各督、抚迅速委派干员于所属地方，将六品蓝翎安姓太监严密查拿，即行就地正法。"

朝旨一到，安得海于同治八年九月十六日夜在济南被绞决，朝野称快。

俄国太子赴宴晴川阁

吴 寅

清光绪十年(1884),黄鹤楼被大火焚毁后,与其隔江相望的晴川阁便成了武汉首要名胜之区。

光绪十七年年初,俄国太子一行出访日本后,将来中国长江一带旅行,清总理衙门行文:“须以最优之礼款待。”四月十九日,张之洞用“保民”、“测海”两舰,驶出汉口江面十多里前往迎接。次日上午10时,俄国太子一行在中俄军舰的护送下,应邀到晴川阁赴宴。水师营的四十艘炮艇在江面一字排开,鸣放礼炮数十发;汉阳协营的兵勇也在岸上鸣枪放炮,遥相呼应。码头上扎了两座钟鼓楼,中间是巍峨壮观的牌楼。俄国太子一行上岸后,钟鼓楼中奏起了迎宾曲,文武官员肃立迎候。从码头到晴川阁的道路两旁,结彩作栏,亚字回文,玲珑有致。在中俄两国乐队前导及主宾双方陪同人员簇拥下,俄国太子所乘黄缎圆式金顶轿停在晴川阁的圆门外,张之洞朝服相迎。二十多岁的太子面白微须,头戴白冠,上缀鸟羽约尺许长,身穿金线盘绣的红衣,外罩湖色灰鼠大衣。两人略事寒暄,携手入阁。

晴川阁里铺满地毯,挂满各式明角玻璃灯,几上陈列着古色斑斓的贵重文物,椅披桌围均

是红色缎子绣金龙，眩人眼目。阁外的地上满铺棕荐，安设绮石黄磁各种类型的花盆，上插绣龙锦旗，迎风招展，显出一派华贵之气。当时报纸说："凡此皆所以壮中国之光仪，非专以尊皇子己也。"

张之洞陪客人遍观一切布置后，眺望江景，中俄乐队轮流演奏助兴。半小时后进餐，张之洞就主位，其次是担任翻译的洋务委员辜鸿铭，俄国太子居首席，依次是希腊世子、俄国亲王、长江水师提督李成谋等，接下来是俄国驻汉领事与译员。地方上的司道等员则在书院正厅设席。餐桌既有中国杯箸，也有西式刀叉。先以熊掌开席，继上燕窝，然后是烧烤等二十余品。中外名酒并陈，点心共进八道。酒过三巡后，张之洞与俄国太子相继起立致祝词，张并赋七律两首分赠俄国太子及希腊世子。3 点钟左右散席，又在阁中游眺，坐谈到 5 点钟，客人告辞，奏乐鸣炮送行。二十一日晨，俄国太子一行乘轮东下。

一场战与和的舌战风波

艾毓英　遗稿　吴克利　整理

1948 年 11 月某天，"华中剿总"总司令白崇禧在汉口华商街原武汉行营召集在武汉的立法委员、国大代表、国民党中央监察委员、省、市参议员、各机关负责人及新闻记者百余人举行座谈会。商讨战与和的问题。白崇禧主持会议。他说:"当前形势紧张,难于决断,战乎?和乎?请各位发表高见。"当时我是湖北省参议会副议长,首先发言:"今天的会很重要,现实要求我们表明态度,或战?或和?必须作出抉择。不允许模棱两可。我个人的看法,今天迫切需要的是和不是战!是和为贵!是和平奋斗救中国!"我的话音未了,孔庚(立法委员、曾任大同镇守使、唐继尧的建国联军总司令部参谋长、国民参政员等)自视是资深的老前辈,一向放言高论,就用谩骂的口吻攻击我:"艾毓英,你这个小子,胆敢言和!你跪下来!不准你站着讲谈和的胡言,谈和也有个法统,不能舍国民党的法统以谈和……。"此时会场气氛紧张。我也不甘示弱,马上反击:"孔先生你失态了,你不要倚老卖老,不要死顽固!你谈法,人民谈革命。汤武革命顺乎天而应乎人,你家老祖宗孔子,都赞成革命,你怎敢数典忘祖!你出言无理,更对不起你的老祖宗!"孔庚听了,怒不可遏地举起拐杖要打我,经湖北省主席张笃伦、"华中剿总"副总司令张淦把孔庚扯开,才平息一场风波。

张群空载洪山菜苔归

王剑霓

1948年12月29日，原湖北省参议会发出了呼吁和平的通电，警告蒋介石“如战祸继续蔓延，不立谋改弦更张之道，则国将不国、民将不民。”要蒋介石“循政治解决之常轨，寻取途径，恢复和谈。”

1949年1月8日，蒋介石派张群、黄绍竑乘机到武汉进行游说。其间，湖北省主席张笃伦设宴邀请李书城、张难先、耿伯钊、艾毓英、陈时、周杰、周鲠生等人与之商谈。彼此针锋相对激烈争辩，未取得结果，不欢而散。张群无可奈何地感叹说：“我也是明知其不可为而为之。不过是略尽老朋友的一点心意而已。”临走前，张群想到武昌洪山的红菜苔是闻名已久的特产，今后还不知能否吃到。于是神情沮丧地对张笃伦说：“今晚到洪山去买三百斤红菜苔，明天带回南京去。”有人写诗讥其事云：“从此辞却鄂州路，空载洪山菜苔归。”

回忆周恩来吃苕叶粥

雷祖铭　口述　陆敬之　整理

1946年5月6日，周恩来因军机由武汉赴大悟县的宣化店，途经黄陂城关至姚蔡河时，遇上洪汛，河水猛涨，交通中断，就借宿在姚蔡河西岸姚家大塆我家里。傍晚，我家得知来客是周副主席，一家人正商量准备晚饭。周恩来看见我家墙壁上挂着一串串枯干的红苕藤叶，就指着红苕叶对我的母亲说："大嫂，这红苕叶，我们在困难时期，常常用它来充饥。今天的晚饭，请你给我们做苕叶粥吃吧！"我母亲郑重地回答："你们是客人，那怎么行。"周恳切地说："大嫂，别客气，我们都是自己人。”我母亲听其言语亲热、诚恳，就照他的意见办。这天晚饭，周恩来一行和我家里的人，一起吃了一餐苕叶粥。

第二天，天刚亮，周恩来和警卫员等做完室内外的清洁后，看见我母亲在厨房忙着准备做早餐，周风趣地说：“大嫂，昨天的晚饭是你做给我们吃，今天的早饭该我们做给你们吃了。”说着，他们就一齐动手干起来，洗菜的洗菜，淘米的淘米，烧火的烧火。正在这时，我捉到一些小鱼从外面回来了，母亲赶忙把鱼拿过来做早餐的菜。周恩来坚决不同意，要我把鱼拿去卖钱买油盐。后经我母亲再三说明河水涨，鱼多不值钱的实情后，才作罢。饭后，周恩来向我全家致谢，并特地在伙食费中另给了一份鱼钱。

孙中山的俭朴生活

刘一曙

1912年，孙先生在南京任临时大总统时，曾规定总统府的所有工作人员，食宿包干，每人每月发三十元，高级官员吃一元以上的大菜，每餐只准吃一盘。而他自己吃的是青菜、豆芽一类，每餐三角多钱。有一天，南北议和的代表伍廷芳、唐绍仪前往拜会，先生留他们二人吃饭，破例加了点鱼肉。平时奢侈惯了的唐绍仪，见只有几样普通菜，便假意向伍廷芳推脱说："今天是我的斋期,不能吃荤,请您陪孙先生用膳。"然而中山先生并不介意,仍和伍边吃边谈。唐绍仪在总统府住了两天后，对朋友说："大总统连独自用的浴池、厕所也没有,真是令人佩服！"

黄侃恤民济贫

黄菊英　遗稿　张正亚　整理

我的丈夫黄侃，早年就读于武昌文普通学堂,因宣传革命,讥讽学监而被开除。后留学日本,参加同盟会,经常为章太炎主持的《民报》撰文鼓吹革命。他一生勤奋治学,为人刚直不阿,且十分同情贫穷苦难的人民。

1907年,他以"运甓"的笔名撰写《哀贫民》一文,发表于《民报》第十七期,其最后一段是："悲来横集,作为是篇,如彼贫民,群立吾前。敢告之曰：命不必向,分不必守,我躬之贫,微我之旧,富人夺之,而我乃贫。非平之道,盍请命于天?殪此富人,复我仇雠。复平等之真,宁以求平等而死,毋汶汶以生也。事之济,贫民之福也;若其弗济,当以神州为巨冢,而牵率富人与之共瘞于其下,亦无悔焉耳。哀哉贫民,盍兴乎来!"

1935年春节,黄侃在南京寓所院外,见一逃荒孕妇捧腹倚墙呻吟。他立即叫我煮红糖鸡蛋,并检出几件小儿的棉衣，连同几块钱送给那个妇女。

李四光吃墨

陈剑函

李四光，原名仲揆。湖北黄冈人。他和我堂叔陈直是表兄弟关系。李四光鼻子长的高，堂叔叫他“李洋人”。他给我讲过李四光十二岁时发愤忘食的故事。

那年大年初一的早上，回龙山镇李家贺客盈门，李仲揆的父母忙得不亦乐乎。到中午时，李母突然记起儿子没有吃早餐，到处又找不到仲揆的下落，心里十分焦急。最后，好不容易在一间坯屋(利用正屋边墙做的简陋房屋)里找到了仲揆，只见他目不转睛地读书，右手慢条斯理地磨墨。李母轻轻地喊了一声：“仲揆，你肚子饿不？”“妈，饿了，饿了。”仲揆饥肠辘辘地回答。“走！”李母挽起儿子的手：“跟我去吃早餐。”仲揆说：“我功课复习完了，还要写大字，等一会儿吃。”说完，旁若无人地看书、磨墨。李母拗不过儿子，急忙到厨房里，油炸了一碗糍粑，拿了一盘红糖送到仲揆的桌上。

一会儿，李母到坯屋里收拾碗筷，大吃一惊：只见仲揆的脸上像演戏的“包公”，右手是一只黑手。李母不禁大笑起来。仲揆却是丈二金刚

摸不着头脑。原来仲揆一心读书，一盘红糖放在桌上原封未动，而那一砚池墨汁竟被他当作红糖吃得干干净净了！

春华灿烂，秋实累累。后来，李四光成为蜚声中外的大科学家，真是"古人学问无遗力，少壮功夫老始成"呵！

张学良首倡横渡长江

王肇槐

民国二十三年(1934)9月的一个下午，体育老师周汝为先生告诉我们：张学良将军倡导的武汉首次横渡长江比赛要举行了。我和四个同学一道跑到黄鹤楼孔明灯前方(今武昌长江大桥桥头堡)，只见汉阳门江边，人山人海，争看横渡长江比赛。听说参加渡江的有三四十人，大都是武汉警备旅的官兵，也有少数船夫、职员和学生。他们从武昌黄鹤楼江边码头(今武昌汉阳门轮渡码头附近)的起点下水，向设在汉口原英租界江边第六码头的终点游去，张学良正等候在那里观看。时正逢汛期，又起了风，水急浪高，加上参加渡江的健儿大都是初次尝试，缺乏渡江经验，因此，多数人只能顺流而下，结果被救护船抢救上岸，只有少数人游到终点。冠军是一位名叫鞠华祥的士兵，他上岸后，张学良很高兴地把镌有“力挽狂澜”四字的银盾奖给这位勇士。

事后,周汝为老师告诉我们一个内幕消息,他说,为了保证这次横渡长江的顺利进行,张学良将军曾下令,在渡江比赛时,所有船只必须停驶。担任这次比赛的总裁判长担心地问:“港口的外国商船怎么办?”张学良斩钉截铁地说:“比赛这天,所有船只不得通行,外国船也不例外。”

张学良冒雨看球赛

全　俊

1934年夏初，在武昌体育场举行的第五届华中运动会上，湖北与安徽的一场男子篮球比赛即将开赛之际,忽然下起雨来。当时只有露天球场,还是黄土铺成。怕雨水泥泞影响比赛,大会决定延期。此时,工作人员发现张学良和夫人撑着雨伞站在看台上。为了不使张学良扫兴,大会又决定比赛按时进行。

球赛开始后,雨越下越大,球场被踏成烂泥地,人成了泥人,球也成了泥球。由于场地滑,队员们根本站不稳。球也拍不起来,甚至拿不住。后来,他们干脆采取爬行战术，争相把泥地上的泥球往对方场地推,让等在篮下的一个队友去投篮。

张学良和夫人,全神贯注地观看着这场球赛,直到湖北队以六分小胜安徽队终场,他们才离去。

李汉俊续弦农家女

吴先铭

中共"一大"代表李汉俊(1890—1927)前妻姓陈。妻死后,亲朋劝他续弦。他称:"对方一定要姓陈,而且要志同道合;如果找不到这样的对象,就找一个朴实的农家妇女。"

经过多方选择,难以如愿。最后,找了一位连字都不认识,还是个文明大脚(缠过后又放开的小脚)的农家妇女陈静珠。

婚后,李汉俊说:"这种时候,有这样一个伴侣,是幸福的。她什么都不问,但不是什么都不懂。"大概正因为如此,他俩的感情一直很好。

解放后,政府对陈静珠关怀备至,从优发给抚恤金。董必武并多次托人过问其生活。

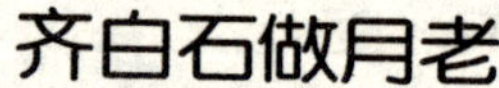

齐白石做月老

王河延

1990年,在著名老画家端木梦锡欢庆九十寿辰时,老人兴致很高,并饶有风趣地向我讲述了一代大师齐白石为他和夫人胡文毅做月老的佳话。

早在三十年代，端木梦锡已是河南省南乐县小有名气的文人。当局给他教育局长的官他不做，执意带着三十块银元赴北京学画。他先后就学于京华美专、北京美术学院，并经常到齐白石府上求教。此时，齐白石青年时代的知遇恩师胡沁园的孙女胡文毅在国立北京师范大学就读，寓居齐家。这样，端木与胡常常晤面而认识了。

从小与国画结下不解之缘的端木梦锡，根基厚实，又聪颖好学，深得齐白石的赏识和悉心教诲。这些被胡文毅看在眼里，喜在心头。而胡文毅的娴淑端庄、好学上进也牵动了端木梦锡的情愫。渐渐地，他们两人由互相倾慕而萌生了爱情。

端木与胡相爱的事被胡家知道后，胡沁园以端木家境清贫而拒绝他们的婚事。后来，两人的学业有成，不得不棒打鸳鸯两分离了。从此，他俩只能靠鸿雁传书互诉恋情。

他俩忠贞不渝的恋情感动了齐白石。为了玉成他们的婚事，齐白石以自己出身清贫为实例，以人品、才干为道理，多次劝说胡沁园。功夫不负苦心人，胡沁园终于被说动了心，答应了他们的婚事。

王文农义葬赛金花

张正亚

名噪一时的赛金花，其是非功过人们给予不少评说。然而，到了晚年却是贫穷和疾病一齐压在她身上。那时，著名书画家王文农曾仗义接济，赛死后，王还为她料理了后事。

王文农，湖北大冶人，是齐白石的入室弟子。1933年，当他负笈北平京华美术学院求学时，由北平印社社长吴迪生介绍，结识了赛金花。此刻，赛已是隐姓埋名三十年而又贫病交加的老妪了。她住在北平天桥居仁里的一所破旧房子里，身边仅有蒋乾芳、顾妈两人照料。王文农对其处境极表同情，除经常登门嘘寒问暖外，还在生活上予以接济。当时，吴佩孚、张竞生、齐白石、梅兰芳等都先后赠款周济赛氏，特别是刘半农还特地撰写《赛金花本事》一书，用稿费来维持她的生活。赛的这些鸣谢回信，大都由王代笔。

1935年，赛金花病危之际，欲托王文农以后事，当时，王已回大冶度假。当王闻讯赶到北平时，赛已奄奄一息。迨赛去世，王为之料理丧事。他找吴迪生写了募捐启事，停柩于“三圣庵”。后经陶然亭的慈安上人允许，将赛氏葬于陶然亭的“香冢”(解放后已迁往八宝山)。出殡之日，人们自发地摆设路祭。

王文农悲痛之余，特为赛金花撰了一副挽联，以寄托哀思：

髫年闻君名，弱冠颂君事，相逢感君真诚，结契承君重托。惭余负笈漫游，劳劳攘攘，鲜尽私衷。剧怜困窘他乡，期异日随侬归去。天意太难回，每惊月落风凄，冷夜空山啼杜宇。

大功得人称，小节引人疑，弭乱受人敬爱，殁世耐人追思。到我抚棺痛哭，是是非非，付诸公论。怎奈伶仃两仆，问何方为彼善后，于心惄如捧，况值烟消云散，荒途孤冢对梅花。

赛氏安葬后，王文农请其尊师齐白石题写墓碑，白石老人慨然应允，挥毫写了“赛金花之墓”五个苍劲有力的大字，勒石树于墓前。

黎元洪与高寿林

刘源清　郑桓武

光绪二十年(1894)中日甲午海战，“广甲”舰参战，战败时，该舰触礁搁于大连湾之三山岛外。当时在舰上当二轮管带的黎元洪与同舰任教官的湖北同乡高寿林弃船泅渡上岸，得以幸存。黎、高两人，遂成生死之交。

黎元洪、高寿林旋去南京谒见当时署两江总督的张之洞。不久,两人随张之洞回鄂。黎元洪任护军管带训练新军,累官到新军协统。高寿林不愿从军,后被派到汉冶萍煤铁厂矿公司萍乡煤矿作德籍总工程师赖伦(译音)的翻译,并从其学习采矿技术。民国初年,高寿林先后主持建成湖南株洲、浙江长兴、江西乐平等处煤矿。回湖北后任阳新炭山湾煤矿总理,后任石灰窑(现为黄石市)富源煤矿(后改称源华煤矿)总矿师。

民国五年,袁世凯死。黎元洪以副总统继任大总统,笃念二十余年与高寿林之情谊,致电高:"柏哥(高原名高传柏):我们弟兄二人,共过生死患难,今我忝居国家元首,尤赖柏哥相济时艰,亦所谓昔日共患难,今日当共享荣华者。盼即命驾来京,虚悬工矿部总长以待。"

高寿林复电婉拒:"兄为爬窟窿钻煤洞之黑炭翁,惟图开发湖北煤炭资源,期有以惠及桑梓;至高官厚禄,我固视之若敝屣也。"

黎元洪接高复电,示左右说:"柏哥人品高洁,虽古之特立独行之士,亦难企及。"并电湖北督军王占元,谓今后湖北煤炭资源之开发,须倚仗高寿林。

民国初年的富源煤矿,在全国略有名气。其井口虽距江边不到五百米,但为盛宣怀家族所把持的汉冶萍公司大冶铁厂厂地所隔断,煤炭下河外运,全靠肩挑背驮上船,运费昂贵,妨碍煤炭发展。欲修建从井口到江边的运煤轻便铁路，而大冶铁厂又从中作梗，不予租让路基。高寿林为了事业，上北京请黎元洪责令大冶铁厂出租路基。后修成了从井口到江边的运煤轻便铁路(现在还在利用)，从此富源煤矿的运煤成本大幅度下降，煤矿迅速发展。生产的煤炭，除了供应武汉民用外，还远销到长江下游的九江、南京、镇江、上海及沿海的烟台、厦门、汕头等地。

“苦行官”严立三

吴自强

严立三原名重，湖北麻城人。黄埔军校创办人之一，曾任该校训练部、教授部主任，对学生训练严格而又循循善诱，为学生所敬爱。

北伐开始，严立三任第廿一师师长。大革命失败，严遂请辞师长职。后再任军委会军务厅长，以父逝又辞。1928年应湖北同乡恳求，回省任民政厅长，与其老友石瑛、张难先共事。后即隐居著书立说，著有《大学释义》、《礼记大学篇考释》等。

1936年，严立三独自携带本人所能背负的简单行李前往西北考察中国古文化发源地，由汉口至郑州、开封，转头过洛阳，上登封，至西安，登终南山，奔咸阳，谒周文王、武王、太公陵，归途登华山，沿途除乘坐公共交通工具外，一概

步行,住小客栈,吃碗饭,与小贩车夫为伍,不以为苦。其抵南京时的一则日记中说:“夜半抵首都,投下关小客栈。近日周身痒剧,解衣视之虱成群。往昔游览、奔走甚劳,故不觉之耳。”

南京沦陷前,严立三隐不住了。时值湖北省政府改组,陈诚任省主席,严应邀出任民政厅长,陈诚因军务纷忙,托严代主省政,省会迁恩施后,正式代理主席。陈诚回任省主席后,严氏辞职去宣恩垦荒,又到宣恩中学执教。由于长期生活刻苦,营养不良,1941 年 3 月偶感风寒,病倒难治,病中授意家人,不要公家耗费一文为他治丧。弥留前,以颤抖之手,写下不易辨识的五个字“有罪要火葬”。死后,他的门生故吏慨叹说他做官不小,却过着“苦行僧”的生活,湖北老百姓则说他是一位“苦行官”。

为官清廉的夏寿康

许恺景

夏寿康,湖北黄冈(今武汉市新洲县)人,从清末到民国初年,以翰林身份历任湖北咨议局副议长、湖北军政府参议、湖北省省长等职。在任期间,从未以权谋私,亲朋故旧有求者,皆一概婉言拒绝。其长婿阮心如,湖北黄安(今红安)人。家贫赴京,欲求一栖身之所,居京近一载,夏未与其谋一职业，乃返回故里，藉教蒙馆为生。其甥万耀煌，亦因家贫赴京谋事。夏未允，促其赴保定军官学校学习。后万晋升师长、军长、兵团司令、陆军大学教育长、湖北省政府主席等职。万曾回忆曰：“若无二舅之指引，则无以有今日，二舅之为人处世，将永为后辈之楷模也。”

夏寿康一生不茹荤酒，为官清廉。他从政二十余年，上未补一片瓦，下未添一寸土，除藏书、祖遗两间破屋及族人于祠产中拨赠的土地外，则别无他物。1922 年去世后，其灵柩随乡俗迁葬故土。

“中国女神童”冯铸

李修鲁

1921 年 4 月 9 日，孙中山先生偕胡汉民、汪精卫、廖仲凯、孙科、章士钊、宋霭龄等二十余人，应黎元洪的邀请抵达武汉。是日上午，同盟会湖北支部在武昌阅马场蛇山坡附近的湖南会馆召开欢迎大会。孙先生等步入会场后，见会场悬挂着许多祝颂的对联。其中有一幅特大字体的隶书对联，为一年仅十一岁的女童冯铸所书，联为：

所作空前绝后，其人长乐永康。

上句颂扬孙中山先生的革命事业，下句祝愿孙中山先生事业顺利、身体健康。不仅内容得体，而且书法遒劲。这样一幅作品，出自一个年幼女童之手，使孙中山先生及随员们叹赏不已。

冯铸(1901—1949)，字冶吾，黄陂县冯家塘(今武汉市)人。幼时随伯父冯家颢练习书法，七八岁时已能写斗大的字。后随父专程到江浙向著名书法家清道人学魏碑，向著名篆刻家吴昌硕学篆隶。十岁时，武汉各商店争相请她写招牌、楹联、匾额，名声传播远近。武昌首义后，她父亲将她的卖字所得，全部捐献给民军。此时，黎元洪收她为义女。1913年，巴拿马世界儿童艺术展览会上，她的作品获金质奖，被誉为“中国女神童”。她三十一岁时，丈夫病故，生活艰难，遂愁苦致疾，于1949年7月去世，终年仅四十八岁。

罗典丞嘲讽萧耀南

刘凤翔

罗典丞乃湖北黄冈(今武汉市新洲县)宿儒，为乡里所敬重。设塾授徒时，萧耀南曾师事之。

萧耀南之妻苏氏只生一女，膝下无嗣。有两侄，长名炳臣，次名福臣，萧耀南视为己子，颇为钟爱。炳臣兄弟娇惯成性，乡里以“少帅”呼之。

一日，乡人某因喜庆大宴宾客，罗典丞与萧炳臣，俱受邀请。乡里请客以坐首席为大，以年高德劭和有名望者居之。但身穿棉布袍、头戴瓜皮帽的罗典丞，虽年事已高，却不如长袍马褂、身藏短枪的萧炳臣的少年气盛受人青睐。主人先请少帅坐首席，萧炳臣也不谦让，一屁股坐了。罗典丞反屈居二席，老人心里很不是滋味。饮酒时，罗典丞向主人申谢后，说："满桌菜肴很丰盛，可惜缺乏鳝鱼。"主人致歉说："买了几处，都没有买到鳝鱼。"罗典丞捻须笑道："如今抠(用手指往泥里挖)鳝鱼的也俏皮了。"原来萧耀南未发迹时，抠过鳝鱼。萧炳臣见罗典丞讥笑他叔父，勃然大怒，站起来立即拔枪。经大伙劝解，萧炳臣忿然而去。

次日，罗典丞挟一把雨伞，从黄冈阳逻镇乘船到武昌。抵督军府，卫兵不许进去，他探头向门内张望，见萧耀南负手在院内踱步。罗典丞喊了两声"珩珊"(萧耀南字，一作衡山)。萧耀南见老师到了，连忙迎入。寒暄后，罗典丞细述炳臣席间事，然后说是来向督军请罪的。萧耀南忙向老师赔礼，随即派人回乡将炳臣叫来，严厉训斥了一顿。

李求实酷爱读书

陈延祥

鲁迅先生在《为了忘却的纪念》一文中所说的五烈士，其中的李伟森，即李求实，字北平，又名国伟，是武昌金口镇人。1903 年生于武昌吉祥巷。1931 年在上海龙华被害，就义前是共青团中央负责人,左翼作家联盟组织者之一。

李求实少年时期就读于武昌高等小学,毕业后进入武昌外国语学校。以其勤奋聪敏,学校课程,远不能满足他的求知欲。但由于家境清贫,无余钱购买课外读物,只好利用课余或节假日到武昌察院坡(现民主路)商务印书馆、中华书局等书店博览群书,他捧书倚架一看就是几个小时,甚或半天,直至书店“打烊”,才不得不将书送还书架。久而久之,书店的管理、营业人员,对这位常来的满头乱发、一袭灰布衫的青年,无不另眼相待,对他孜孜不倦,如饥似渴的学习精神尤为感动,主动提出愿借书给他回家阅读,从此每隔十天半月,就见他抱一叠书进书店,再抱一叠书出书店。如此约有年余光景,他不仅把应学的高中课程全部学完,而且阅览了大量的中外政治、经济、哲学、史学著作,并翻译《政治经济学》一书在汉口《正义报》连载。后来他投考“北京大学”和“武昌高等商科学校”均被录取,遂就近在“高商”就读,未及一年,终因家境困难而辍学。

血绘观音像

张康临

1922 年 11 月 3 日，前清湖北省咨议局议员、民国后任福建省省长的胡瑞霖，接任汉口佛教正信会会长。时正信会的前栋房屋刚刚竣工，为继续建造后栋筹措资金，举行了为期七天、别开生面的义卖募捐布施大会。会场陈列物品达五百五十件之多，多为金银首饰、珠宝衣物。其中，有一幅血绘的观音大士像，格外引人注目。

当时的大施主是前湖北省咨议局议长汤化龙的女儿、胡瑞霖会长的孀媳汤佩琳。她早年留学日本，颇有才学。结婚不到一年，其夫去世，她痛不欲生，即皈依佛法。因听说正信会修建后栋的经费告罄。为了不使这一工程中辍，她慨然献出全部贵重的嫁奁，并刺破自己的指头，用流出的血绘就一幅观音大士像，以此供养三宝。在她的感召下，武汉居士们踊跃捐献钱物，共襄盛举。1923年元月24日(农历腊月初八)在汉口太平会馆当众出售功德券，一举获得一万多元，使正信会后栋工程能顺利修建。不久，两栋三层楼的正信会居士道场，耸立于汉口福建街，成为全国最大的居士会址。

汤佩琳由于血绘观音像，武汉佛教界称她为“东亚的南丁格尔”。

经心书院的开学典礼

杨湖樵 遗稿 伍 光 整理

经心书院为清末湖北三大书院之一，是张之洞于同治八年(1869)任湖北学政时创办的。光绪二十五年(1899)，我入选经心书院。

书院规定有年假，年假结束，学生到齐，书院举行隆重的开学典礼。在开学日期选定之前，院监督上报总督，请其莅院赐训。如果总督答应前来，藩、臬、道等官员皆须先来侍候。后来，张之洞任湖广总督，于荫霖是湖北巡抚，他们两人政见常有不合，重视办教育则是一致的。在我所经历的几次开学典礼中，见到张之洞单独来了一次，偕同于荫霖来过一次。张六十多岁，身体不算很好，官服顶戴，庄严凝重而面色慈祥。

典礼开始前，书院执事人员，将礼堂内“至圣先师孔子”牌位的红烛点燃，率领学生进入礼堂站定，再由监督、提调陪同总督及各长官进入礼堂，请他们站在最前列，院监督、提调、分教站第二列。

参加典礼的人员定位后，呼礼生高声呼礼。其程序：1.全体向孔圣行跪拜礼；2.各长官东列，师长西列，学生半左转，向长官行跪拜礼；3.学生复位，半右转，向师长行跪拜礼；4.长官向师长行三鞠躬礼；5.师长向长官行三鞠躬礼；6.学生从中行左右转，相互行一鞠躬礼；7.长官、师长、学生各复原位；8.总督(总督未到由最高一级官员代理)训示；9.院监督训示；10.礼成(长官、师长退场，学生最后离开)。

典礼进行中，当学生向师长行跪拜礼，总督、巡抚先向师长行三鞠躬礼时，尊师重道的气氛达到了顶峰。全院学生无不暗暗激励自己，一定要把自己所研习的学科学好，做出成绩来。

学院学风淳朴，学生成绩优良，得到当局的重视。在我前后期三四年中，大批人膺选出洋留学，去日本学陆军的有李书城、孔庚、何成浚、吴经明、耿伯钊，学教育的有张继煦、李步青、阮崧、屈佩兰、万声扬，学农业的有屈德泽，习法政的有杨雨霆、叶开琼，学会计的有杨汝梅、欧阳葆贞。还有赴比学政治的魏宸祖，习铁路的史青,赴法学数学的贺诚甫等。他们学成归国,多数受聘为教授、教官、工程师、会计师,有的后来当了大学校长、厅长、部长、省主席等。

师德丰碑盛鉴亭

陈泽群

盛鉴亭,既是一个人的名字,又是一座亭的名字,亭因人而建,人因亭而传。

盛鉴亭是1919年"五四"运动后,任职于武昌高师(武汉大学的前身)附小的一位老师,担任学监(教导主任)兼教"修身"课,当时陈潭秋也在该校任教,他们很要好。

据当时在高师附小就读的学生伍修权回忆:盛老师每天早晨总是第一个到校,在校门迎着到校的学生,然后在回廊上琅琅地大声读书,用这种"身教"的办法影响学生,日久潜移默化,学生到校后也就不嬉闹,在上课铃响之前各个拿起书来,大声朗读。

1921年夏,武汉流行霍乱,附小有几位老师也染上了,在"多病故人疏"的旧社会,除至亲外,谁也不敢去接触"害瘟疫"的人。而盛老师以他善良的心,毅然轮流到各个病榻去护理,侍奉汤药,筹借药费。这几位老师后来都大难不死,而盛老师由于长期接触疫源,加上忙累,自己却病倒了,霍乱终于夺去了他只有二十多岁的生命。

盛老师的死,全校师生大恸。他用他的行动上完了最后一节“修身”课,无言地告诉他的同事与学生:人,应该如何”正心,诚意,修身……”。

在追悼会上,有人建议建亭纪念。于是,一枚一枚的银元从老师的薄俸中撙节出来了,一枚一枚的铜板从学生的早点中压缩出来了,终于修建了一座亭子。大家还用上“工艺课”的机会,轮番在一块硬木上刻下三个大字“盛鉴亭”。盛鉴亭建在武昌都府堤,现在的“陈潭秋烈士纪念馆”内。

几十年的风风雨雨，亭子已经破败不堪。1983 年，伍修权将军重访了附小原址，抚迹怀师,不胜凄恻,建议重修此亭,乃由江汉大学武昌分部按原样重建,现已成为校园一景,也是武汉独特的师德纪念碑。

石瑛礼遇小学教师

吴自强

石瑛辛亥革命前留学欧洲时，即随孙中山从事反清革命活动。归国后历任北京大学、武汉大学教授,做过部长、市长、厅长,是湖北有名的“三怪”之一。所谓“怪”者,崇德守常、不同流俗、一身正气、两袖清风之谓也。

抗战期间，湖北省会迁至恩施。1940年，石瑛膺选湖北省第一届临时参议会议长。他的住宅与参议会会址相距不远，是由三间旧屋稍加修葺而成，阴暗潮湿，条件很差。此时，他已是七十多岁的老人，且患有严重的风湿病，不良于行。省主席陈诚见此情景，几次要给他盖屋。石瑛指着半山坡上几间教师、职员住的小屋说："我这里比他们强多了，要盖先给他们盖。"

附近的龙洞小学，也是石瑛倡导下因陋就简创立的，解决了散居在这里的公教人员的子弟和农村儿童上学读书的困难。

当时恩施环境艰苦，供应困难，省主席宴客只有四菜一汤。石瑛是从来不设私宴的，当他的挚友、副议长李四光，第一次被邀到他家，餐桌上除青菜萝卜外，只有一盘鲫鱼、一碗鸡蛋汤。无怪李四光说："哈，专为我做的啰！"

但到了春节，石瑛则特嘱他的媳妇柯蕙荣杀鸡买鱼，多做几样菜，并破例备上酒，宴请龙洞小学全体教师。席间，他亲自作陪，首先斟满一杯酒，双手捧举及额，向教师们祝贺新禧并道辛苦。他说："小学教育是教育的基础，如大树之根，江河之源，希望老师们注意抓学风、励志气，要孩子们明礼义、知廉耻，懂得'天下兴亡，匹夫有责'。"教师们对此深感鼓舞，也深受激励。

穷且益坚的教育家严士佳

吴先铭

严士佳，湖北黄冈人，他一生笃志教育，以胸怀坦荡、谦和平易、教学认真、治学严谨而深受师生爱戴。早年，他在清华学堂毕业后赴美国，在哥伦比亚大学研究职业教育，获教育硕士学位。回国后，首任湖北省立师范学校校长，随后执教中华大学。当时，中华大学附中主任恽代英因事离职，由严士佳接任。大革命后，中华大学教务长林立转任沪江大学校长，严士佳又继任教务长。

在中华大学为严士佳举行的六十岁祝寿会上，该校创办人、校长陈时致辞说："严先生毕生主持中华大学，不问收获，但求耕耘，做出了显著的成绩。刚来时，他头发乌黑黑的，如今已白发苍苍。严先生和我共事，我只是像哥伦布一样发现了一块荒地。以后，学校从小到大的发展，与严先生的辛劳分不开。"严士佳也在掌声中热情地说："我到中华大学来，确实排除了一切外来的引诱。高官厚禄，非我所求。抗战转进，学校由武昌粮道街迁到重庆南岸米市街。其所经过道路，何等坎坷。在粮道街缺'粮'，在米市街无'米'。我这个教授越教越'瘦'。又有人劝我转

业。以优厚待遇相罗致。我亦不为所动，愿和中华大学甘苦与共。我想：如果换个位置，可能钱多一些。可是'袁大头'(指银元)不会对我发笑。而我的学生，在街上碰着我，老远就笑眯眯地向我打招呼，亲切地喊'严老师！严老师！'乐，亦在其中矣。"

严士佳家住武昌张王庙，下课回家要经过青龙巷。往往有些大学生亲热地请他顺便上闻名武汉、味美价廉的谦记牛肉馆小酌，他很少不去，和同学们像家人父子一样，亲密无间。

严士佳凭着"清华毕业、留美学生"八个字，拥有获取巨薪高位的条件。可他并不去利用这一点，而把他的精力、智慧完全倾注在教育事业上。无怪乎人们对他的一生曾感叹地说："贫穷岂能掩盖高贵的品德，美德会从穷困笼罩不到的隙缝里透出光芒。"

汪奠基推崇熊十力

刘先枚

熊十力与汪奠基同为当代著名哲学家，熊为黄冈人，汪为鄂城(今鄂州市)人，二人交谊甚笃。熊十力曾致力于辛亥革命，满清王朝覆灭后，欲就学北京大学而不得。于是发愤尽十年之力，潜心内典，卓然有成。后应蔡元培之聘，执教于北京大学，饮誉海内外。汪对此同乡极为景仰，曾向我谈及熊的两件事，亦可见其一斑。

熊十力晚年尝倩人读世界哲学著作。一天，读西哲康德的《判断力批判》，读到一个地方，他瞿然对读者说："不要读下去了，这个思想不是康德思想。"遂着人检寻康德原著互勘，乃发现原书译文有误。盖能于古代哲学家思路与识域、条缕极为明澈，其中交午杂厕者极易剔而出之。其治学之精、持论之严谨如此。

一日，汪奠基还以熊十力来函示我，文长不能全记，其中心内容为熊卜宅事。此信笺纸质不太佳(毛边纸之类)，形式也不太方正。但有些句子浓圈密点，深恐人不得其指要。忆其中有句云："九域不靖，一室宁论。"又痛恨抗战胜利后继以内战。中有句云："诚恐吾子孙万世为奴。"这两句话均以朱笔打圈，以示着重。由此可见其忧国忧民之心。

周贞亮二三事

刘昌润

武汉名宿周贞亮，汉阳人，居蔡甸镇正街。周幼年家道清寒，而苦读不辍，不间寒暑，每至更深，乡人传为美谈，备受尊敬。后出任武汉大学教授。

周善作骈体文，辞藻艳逸。精于《文选》之学，著有《文选学注疏》；潜心汉魏六朝诗文的研究，选辑《汉魏六朝诗三百首》，阐述古诗的发展源流。他还爱好同代人李慈铭骈文。当时《湖塘林馆骈体文》及《王氏十家四六文钞》两种选本，所选重复遗漏，且乏精当。清光绪二十三年(1897)孙氏所刻《越缦堂骈体文》，虽称完备，犹有阙佚。周因从《越缦堂日记》及诗集中辑得遗篇若干首，订为四卷完本。

周氏诗学源本汉唐而服膺江西，注意同光派诗作，尤其击赏姚梅伯、陈散原诸人诗篇，辑其佳作为《诗钞》。

周喜藏书，重视乡土文献的搜访，求范锴《汉口丛谈》三十年而不得。后从汝阳李哲明钞得副本，详加校雠。又从陆长春《梦花亭骈文》中补得序文一篇，遂成《汉口丛谈》的完本。后由王葆心在武昌铅印行世。他对于屡求不得之书，即亲手抄录，孜孜不倦，令人联想到吴枚庵露钞雪纂的读书韧劲来。其藏书室名有《晚喜庐》、《津逮宧》、《书种楼》等。

杨守敬与《湖北旧闻录》

刘昌润

杨守敬的《晦明轩稿》中有《十三经集证》跋

文一篇，记述《集证》屡遭当道冷眼不能付梓的经过，说作者万希槐的后人因此忿而秘不示人。杨氏曾极力怂恿《湖北丛书》编辑汉阳关棠将其收入丛书，结果仍遭拒绝。然后叹道："失此不刊，不独为吾楚惜，亦当为天下学者恨。"(此书后来有 1923 年铅印本，名《十三经考异》，八十卷)跋后又提到了陈诗的《湖北考古录》。

蕲春陈诗为清乾隆四十三年(1778)进士，与章学诚同年。劬学苦读，能文工诗，尤其重视乡邦文献的搜集和整理。他十分尊重史料的客观性，是一位主张"无一言不出于人"的纂辑派方志学家，章学诚称他为"通人"、"楚之宿儒"。著有《湖北诗载、文载、丛载》、《湖北旧闻录》、《历代地理志汇编》等，而不闻有"考古录"之名。

细审跋文云云，谓此书录湖北"古记遗文"，一切方志书附会的说法概摒弃不录，可见是一部按其方志学理论编纂的湖北志书。章氏《丙辰札记》记陈诗语去，"我自有书"即指此，也与《札记》所说的《湖北旧闻录》相符，盖同书而异名也。不过其间容或延伸时限、补充内容，篇帙有所增益而已。

关棠虽已借到了《湖北旧闻录》的稿本，结果却同《十三经集证》一样，没有刻入《湖北丛书》。杨氏为此大发感慨，在列举《丛书》中刻有已有刻本之书、瑕瑜互见之书、甚至浅薄游戏之书后，痛心疾首地说："以如斯巨款，刻诸不急之书，而大雅宏通之作，乃熟视无睹，使他邦学者谓吾楚二百年来撰著仅如斯,是谁之耻?”对《湖北丛书》所选诸书是否精当,姑置勿论,但就其校勘审慎来说,一校、二校、三校,却是严肃不苟的,如当时能将《湖北旧闻录》收入丛书,也是乡邦文献的盛事。

韦棣华与中国现代图书馆

张祥麟

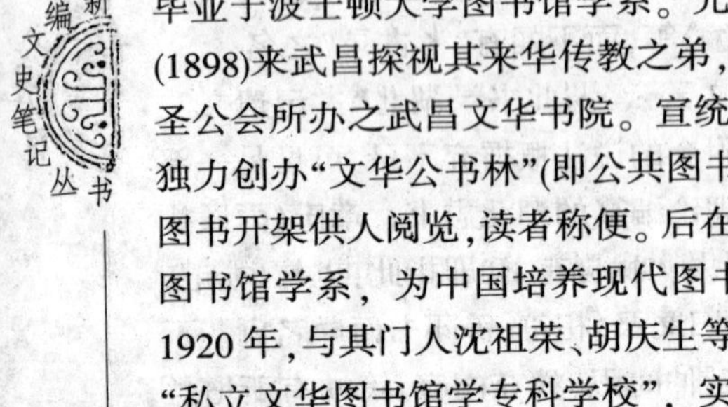

韦棣华(Mary Elizabeth Wood)女士,美国人,毕业于波士顿大学图书馆学系。光绪二十四年(1898)来武昌探视其来华传教之弟,遂留教于美圣公会所办之武昌文华书院。宣统二年(1910),独力创办“文华公书林”(即公共图书馆),将中西图书开架供人阅览,读者称便。后在文华大学设图书馆学系,为中国培养现代图书馆学人才。1920年,与其门人沈祖荣、胡庆生等在武昌创办“私立文华图书馆学专科学校”,实为中国第一所独立的图书馆学学校。几十年中,为我国培养出不少图书馆学专门人才(该校于1951年改为公立,1953年并入武汉大学)。1923年美国国会行将讨论退还中国庚子赔款余额六百万美金用途的议案,韦闻讯赴美,呼吁以此款发展中国图书馆事业。她不辞辛劳,一一走访四百多位议员,陈述主张,请求支持。1924年3月31日美国会开会讨论该案，韦应邀出席美参议院外交委员会听证会，并作长篇发言，听者动容，该案遂获通过。5月25日完成立法手续，决定用此款兴办北京图书馆，并于1926年至1929年间，在文华图书馆专科学校设立二十五个名额助学金，每名每年年金为银元二百。1925年，韦与中国图书馆界同仁发起组织“中国图书馆协会”，在国际上享有相当声誉。韦女士毕生为中国图书馆事业奋斗，积劳成疾，于1931年5月逝世。遗嘱葬于武昌。

英格尔和《汉音集字》

朱建颂

19世纪末，一本记录汉口方音的书《汉音集字》，由公兴印刷所印刷，在汉口面世。它的编写者是詹姆斯·爱迪生·英格尔 (James Addison Ingleg)。他以斯卡波柔(W.M.Scarbovough)牧师的《汉口方言字表》手稿为基础，经过周密调查、反复甄别，在中国教师张亲承的帮助下，选了近万个汉字，用拉丁字母注音，按汉口音把同音字集中排列，一目了然。如mo上平(阴平)“摩摸”，下平(阳平)“磨魔模”，上声“磨”，去声“磨”，入声“莫膜谟寞末茉寞”……

从中可以看出，当时汉口音有入声。不过据

英格尔在序中说，当时下平(阳平)和入声有很多混淆。这是入声开始消失的征兆。而在其后——本世纪30年代的资料表明，武汉的入声已完全消失。

英格尔还在序中特别提到汉口n、l、r三声母的读音纠缠不清，如把nan(南)读成lan(兰)，rang(让)lang(浪)之类。这个情况今天依然存在，是武汉人学习普通话和研究古音的一大难点。

此外还有一些现象如：知=滋 zì，耕=根 gen，图=头 tou，信=姓=迅 xìn，瑞=睡 suì，书=虚 xu，鞋=孩 haì，雨=乳=蕊 yu，泳=运=润 yun 之类，书中都可以看到，今天仍旧如此。足见语音发展是渐进的。

武汉方言史料奇缺，英格尔为我们留下一份九十多年前的珍贵史料。

废纸堆中救古籍

刘昌润

徐行可先生是武汉现代最大的藏书家，藏箧几八百，多为稿本、精校本。伦明《辛亥以来藏书纪事诗》赞之云，“自标一帜黄汪外，天下英雄独使君”，是矣。他所处的旧社会正当祖国典籍散佚之际，他因此切齿痛心，奋然以“救书”为己任。不顾日军占领下路阻难通，足迹遍及汉口堤街、任冬街、大智门铁路旁诸废纸店，偶见有保存价值的书，即从成捆废纸中抽出买回，虽被扯去封面的西书也不忍舍弃，买回重新装订入藏。或因家有复本，或手头不便，即驰笺转告书友，谓某处有某书，“乞来一救”。其爱书的热情，跃然纸上，与沪上郑振铎先生的风范遥遥相通。

我曾在旧书摊偶得《李温陵集》前半。不久，他在废纸堆中得后半，他就多方托人转告，希望我能转让。我当即亲往送赠。全书得以璧合，他喜不自胜。在访书中这类巧遇虽如电光石火，可遇不可求，但也不是绝无仅有。记得有一位欧阳君，先在铁路边废纸店中买得日本常磐文库覆正平本《论语》残本两册。事隔数月又在荒货摊上得所缺两册。此为杨守敬从日本访得之书，有“惺吾海外访得秘笈”印，《日本访书志》所录即是此本。这种乐趣，只有像徐先生这样爱书如命的人才能体会。

周鲠生与胡适轶事

王孔旭

1947年夏天，当时任北京大学校长的胡适对新闻界发表了关于挑选和办好重点大学的谈话。他建议在十年左右的时间，集中人力、物力、财力把几所重点大学办成世界第一流的大学，像英国的剑桥、牛津那样。他具体提到首先办好北大、清华、武大、浙大、中大等。他这次谈话首先由《大公报》刊出，很快就传开了。这个问题在当时看来虽系一家之言，但出自胡适之口却事关重大，引起了全国不少关心大学教育的专家们参与一场持续大半年的论战，当时的“武大人”对此事的关注不言而喻。1948年初夏，武汉大学校长周鲠生请了几位校外学者到武大讲学，其中之一就是鼎鼎大名的胡博士。第一天讲座主讲人是胡适和李济两位。李济先生是中央研究院的考古学家。武大没有考古专业，大多数同学对李先生比较陌生，不少人主要是慕胡适之名而至。当胡适、李济两人同时出现在讲坛上时，挤满了大礼堂的听众眼巴巴地望着周校长，看他怎样安排这两位“亮相”。周鲠生校长站在讲台正中，环视全场听众之后微笑着说道：“我们今天请来了两位贵客，一位是北大校长胡适先生，字适之，另一位是中央研究院的著名考古学家李济先生，字济之。他们两位的名和字是不谋而合啊！大家知道，我对考古学一窍不通，好在胡适校长是无所不通，现在就请他代劳给大家介绍一下李济之教授，好不好？”这时，全场报以热烈的掌声。胡适被推到前台说道：“你们的周校长是我的老朋友，他才是博古通今哩！他非常谦虚，要我来‘跳加官’，其实，我和大家一样，今天是来听李济之先生的讲座。”接着，他简要地介绍了李先生的情况，随即李济之教授也寒暄了几句才言归正传讲了起来。周鲠生校长对

这两位客人的“出场”煞费苦心，进退得体，事后传为美谈。

闻一多、珞珈山和武汉大学校徽

马昌松

珞珈山位于武昌区东郊，东北濒临烟波浩渺的东湖，是武汉著名的风景区。这座山的主峰海拔 118.5 米，原名“落驾山”。相传春秋战国时期，楚王曾经驻此“落驾”，故名。《江夏县志》记载，这座山也叫“逻迦山”或“罗家山”，大概是因谐音而得到不同的俗称。1928 年，武汉大学从武昌城内迁来这里，兴建新校舍。这时，闻一多从南京来到武汉，在武汉大学任文学院长兼中文系主任，见这里湖光山色很美，于是也用谐音的方法，将“落驾山”改名为“珞珈山”，赋予这座山以诗一样的名称。他改的这山名，一直延用至今。

闻一多曾学过绘画，美术造诣甚深。在武汉大学任职期间，他还为武汉大学设计过校徽，圆形，白底黑字，用篆书写着“武大”二字，表现出这座著名高等学府严谨的校风。当时，武汉大学的师生都佩戴他设计的校徽，如今武大的木制家具仍烙印着这种校徽。

单联求偶七十年

涂明庭

1921年，在武昌奥略楼三楼粉墙上，有署名醉痴生者书一上联征对："汉口夕阳，斜照汉阳门，汉阳门门对汉阳，江汉秋阳同一色。"后附一句话："应征诸君，如有极工下联，请交斗级营协和宾馆十五号，酬洋百元。"

尽管悬此重赏，却一直没有人对出工整的下联。原来，对联和诗词一样，在一般情况下忌用重字。但是，醉痴生这个上联则是存心以重字取胜，并且还有以下几个原因：

一、"汉口夕阳"既是自然景色，又有典故。

唐代刘长卿的《自夏口至鹦鹉洲夕望岳阳寄元中丞》诗有句曰:“汉口夕阳斜渡鸟,洞庭秋水远连天。”清人多以此入联。汉阳晴川阁有联云:“汉口夕阳斜渡鸟;楚江灯火夜行船。”汉口的安徽会馆有一副长联,上联的第一分句是“望武昌明月”,下联的第一分句是“咏汉口夕阳”。

二、武昌和汉口、汉阳隔江相望,汉阳和汉口一河两岸,像这样位于二水交汇之处的三镇鼎立,在全国绝无仅有。

三、汉口和汉阳是三镇的两个地名,汉阳门则是三镇之一武昌的一个地名,前两者显然比后者高出一个层次。

四、1921 年,武昌的城墙尚未拆除,汉阳门是武昌城的西门,它的命名就是因为它正对汉阳而来的。

五、“江汉”既是指长江与汉水,是泛指长江中游长江、汉水流经的江汉平原。

早年听老辈人断言:“这个上联是对不出工整的下联的!”近年,继中国楹联学会在北京成立后,一些省、市、县也成立了楹联学会,说明爱好此道的人越来越多。七十年过去了,不知有人能对出恰当的下联否?

“中山先生万古”

黄 亮 遗稿 吴克利 整理

辛亥革命第二年，孙中山先生来到江西新建县吴城镇，当地举行盛大欢迎会。那天我正在场。孙先生在会上讲了话。会后，孙先生用手抚摸我的头，并问：“几岁了？”我答：“十一岁。”再问：“读书没有？”答：“正在读书。”孙先生高兴地说：“要用功读书，将来好为国家服务。”

1925年孙先生在北平逝世。我已二十岁出头。怀着对孙先生的崇敬心情，买了一段白竹布，写了一幅两丈长的挽联：

雄才远播东西外
正气长留天地间

挽联送出后，收到了谢帖。参加追悼会时，我在签到处写上“黄亮”两字后，在场的人见我是一个穿布衣衫的青年学生，很为惊讶。

追悼会上的挽联难以数计。但有两大特点：一是人物越大，挽联越小，像黎元洪、段祺瑞、蒋中正等人所送的挽联是用锦绸所写，典雅有余，气势不足。而我的挽联字大、句短、布料差，惹人注目。二是挽联的上款，千篇一律写的是“中山先生千古”，而我写的是“中山先生万古”。过后，有人评论:“有章不循,立异为高。”我说:“写千古是惯例。中山先生革除帝制,建立民国,其功绩亘古不磨,与日月并辉,万古好。”

梁启超巧对张之洞

向树青

清末梁启超到江夏(今武昌)讲学,曾造访湖广总督张之洞。张曾以“江夏”二字出了上联请梁属对:

四水江第一,四时夏第二,先生居江夏,谁是第一?谁是第二?

梁启超不假思索,立即口占下联:

三教儒在前,三才人在后,小子本儒人,何敢在前?何敢在后?

张之洞听罢,连声夸好,执礼甚恭。

张所出上联,实在叫对方难以启齿。在江淮河汉四水里,长江数第一;四季之中,夏季排二。我在江夏坐镇,你来江夏讲学,你我二人,到底谁强。张既称梁为“先生”,表示了自己礼贤下士,却又提出名次问题,但问得十分巧妙,既咄咄逼人,又不露痕迹。

梁启超的下联含意也不示弱。在儒释道三教之中,儒家排头;在天地人三才之中,人则居后。我不过是读书之人,怎敢居你之前?又怎能在你之

后?梁自称"小子"既表示了自谦,却又避开问题的正面锋芒,不卑不亢,柔中带刚,不失分寸。

上联出得好,下联对得妙,严丝合缝两相呼应,堪称巧对。

英人佛来蔗咏汉口诗

李曼农

威廉·约翰·班布里奇·佛来蔗(Willian John Bainhridge Fietiher 一译弗莱彻。1871—1933)。英国人,中文名符佑之。本世纪初来华,任英国领事馆翻译,酷爱中国文学,友人中亦多中国文士,如苏曼殊、蔡守(字哲夫、别号蔡八)等。1909年曾以英诗题曼殊画册。据蔡守《曼殊画跋》:"己酉秋八月既望,曼殊上人过沪。出是册。委守夫妇为之题识。诘朝,佛子来蔗过我。读之折服至极,遂题长句焉。曼殊因以是帧把赠佛子,并命守识之。八月二十四日也。"又曾赠蔡《师梨(雪莱)诗选》,蔡以之移赠曼殊。曼殊《燕子龛随笔》云:"曩者英吉利莲华女士以《师梨诗选》媵英领事佛来蔗于海上。佛子持贶蔡八,蔡八移赠于余。"1908 年后历任福州、琼州、海口等地副领事、领事。退休后应广州中山大学聘为英语教授,死于广州。佛氏于中国唐诗颇有研究,有《英译唐诗选》及《续集》于 1932—1933 年先后由商

务印书馆出版。他曾来汉口，以英语作《咏游中国汉口短长歌》七首，经蔡守以骚体译为中文。诗中提到禹庙、晴川阁、祢衡、黄祖，知其于中国史事颇为熟悉。诗云：

禹庙将将兮，大江前横。江流汩汩兮，幽咽其声。涵晴川阁之影兮，澹荡无定。濑木兰舟之唇兮，萃索有情。嗟年华之似水兮，忽忽而逝。等身世之如波兮，茫茫而生。吾人忽而来去兮，乘兴一时。鼓枻溯流兮，毋嗟路歧。观潮汐之不舍昼夜兮，亘古如斯。感人生之浮名兮，一泡之微。

嗟人生之飘泊兮，如柳丝飏于江滨。嗟人生之须臾兮，渺沧海之微尘。复若孟冬之薄冰兮，乍消灭而无痕。虽倏忽亦毋恐兮，须树不朽之奇勋。能长留于天地间兮，其永久之精神。

落日红于玛瑙兮，暮霭炫其辉煌。览绛日之炫色兮，莫若斯时之风光。洵朝阳不及夕阳之红兮，奈好景而靡长。

惊造化之叵测兮，瞠目旂视。印吾人之脑筋兮，不敢思议。吾不能道其原因兮，如小儿之学语。亦无诗能述其奇景兮，惟咄咄而称异。

孤坟兀兀于江干兮，其人为谁？祢衡其名兮，横题于碑。抚孤坟而凭吊兮，想其平生之敢为。面奸雄而斥其非兮，勇烈可知。今彼都之人士兮，见之莫不涕垂。吾虽异邦

之人兮，壮其志亦敬之。

一抔之黄土兮，千古留于江干。劳人草草兮，来去何常。闻黄祖当年之杀君兮，追悔之心亦不安。

落日坠于暮云兮，晚烟迷其汉水。寥天幕而星垂兮，君长逝如眠耳。大江涌而月明兮，名不泯亦如是。壮君之觥觥兮，殉社会而死。吾人之向往兮，当景行行止。

黄申芗三首“怪”诗

黄 铉

黄申芗是辛亥革命时期的著名革命党人，被誉为“共进会的文武全才”，擅长诗词，留有诗稿一卷，未刊行。他有些诗写得很“怪”，构思新颖、奇特，别具风格，读起来饶有趣味。略举数例。

《钱刀谣》

古人铸钱即铸刀，钱刀与刀利有别。
刀能杀人须用手，钱刀杀人不见血。
后人铸钱改为圆，圆刀杀人不论边。
今人无刀杀人死，亿万钱刀一张纸。
一张薄币作棺材，活千活万币里埋。

《算》

九十秋光算又过，寒林落叶水增波。
风吹列雁求余数，日照回栏画几何。
世事乘除看不少，人情加减愧无多。
百年假定百分百，统计空闲一刹那。

《过重年》

（一）

过了新年过旧年，新年反过旧年前。
人前万事成颠倒，那得光阴不倒颠。

（二）

新旧年头共一春，一春真老两年人。
年年旧样翻新样，旧样翻回一样新。

"同光体"名称的由来

幼兰斋主

清末民初的诗坛有一个重要的流派叫"同光派"。代表作家有沈曾植、陈衍、陈立三、范当世、郑孝胥、陈宝琛、李宣龚、夏敬观、陈曾寿等。他们思想上大多偏于保守，有些作品也主张变

法图强、反对外国侵略。不过以写个人身世和山水风物居多。在艺术上则因忌熟避俗而流于隐晦拗涩,偶尔也有些意境深沉、语言流畅之作。

沈曾植,字子培,号乙盦,晚号寐叟。进士出身,累官至护理安徽巡抚,是一位功力很深的学者。早年倾向于变法。作诗力避平庸,故显得艰深奇奥。光绪二十四年(1898)五月,湖广总督张之洞聘他来武昌,主讲两湖书院史席。由于他问无不答,答必详尽,因此很受学生欢迎。张之洞安置他住在武昌水陆街姚氏桃园, 这里树石苍润,盆花满园,环境十分幽雅,他取名为"株园",室名"符娄庭"。次年冬,陈衍也来武昌,在张之洞幕任官报局总编纂,也住在水陆街,二人相距很近。陈衍,字叔伊,号石遗老人。举人出身,曾任学部主事。为诗倡三元(唐开元、元和、宋元祐)之说,实际偏重尊宋,讲究艺术技巧。沈、陈二人在张之洞幕府中同住在纺纱局西院。初次见面递名片,沈睁着眼睛看陈,说:"吾走琉璃厂肆,以朱提一流,购君《元诗纪事》者。"陈对沈说:"吾于癸未至丙戌(1883—1886)间,闻王可庄(仁堪)、郑苏堪(孝胥)诵君诗,相与叹赏,以为'同光体'之魁杰也。"不久,沈曾植因病疟,困居在家,整月不出门,乃托之吟咏。陈衍常去造访,互相唱和,有所作就互相夸示。后来沈有诗作就写在笺上。有时夜半敲门,送给陈衍,到了冬天,积稿就有一大堆了。沈还对陈说:"吾诗学深, 诗功浅。""诗学深者谓阅诗多, 诗功浅者谓作诗少

也。”陈说：“君爱艰深，薄平易，则山谷不如梅宛陵、王广陵。”沈听了这话，就积极阅读梅、王二人的诗。从此以后，“同光体”的名称就逐渐传开了，和他们的作诗主张相同的人，有的就隐然以“同光派”自居，或被人称作是“同光派”。在此前后，陈三立、郑孝胥、李宣龚、陈曾寿等也先后来武汉，他们有意无意间也以“同光派”相许。

汤化龙的悼亡诗

李曼农

蕲水(今湖北浠水)汤化龙，以清末立宪运动激进派领袖，参与辛亥武昌首义，终因与革命党人相处多间，颇为人所疵议。但其言论丰采，曾倾动一时，文辞亦时有可观。1918 年以出国考察名义，漫游海外。三月杪抵日本东京，居两月余。其夫人夏氏于前二年在东京病故，汤氏前往其旧居凭吊，哭之甚哀，有七律五首以纪之，颇能尽缠绵悱恻之情：

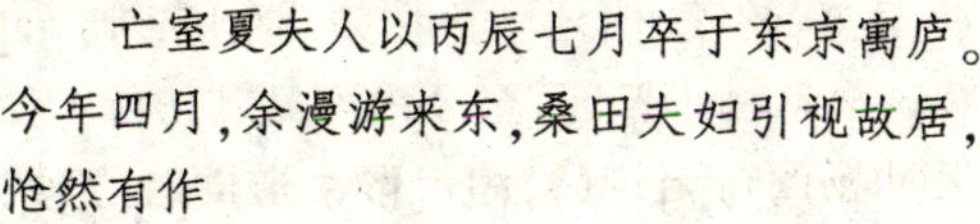
亡室夏夫人以丙辰七月卒于东京寓庐。今年四月，余漫游来东，桑田夫妇引视故居，怆然有作

海外重来赋大招，故居凝睇黯魂销。隔墙桃李将春去，旧路蘼芜入梦遥。十步回头肠九转，卅年离恨羽双翛。蓬山青鸟知何处，望断

天涯泪似潮。

蜂慵蝶懒奈何天，落尽樱花又一年。鹃泪已枯惟有血，鸾胶欲续更无弦。仙踪盼断三山影，痴梦犹寻再世缘。万里相随旧明月，照人不似旧时圆。

种草忘忧酒遣愁，抽刀不断爱河流。祝君拼着鳏开眼，老我谁怜鹤上头。可有痴魂能化蝶，不堪密誓负牵牛。风尖露冷春寒重，凄绝更深独倚楼。

春事阑珊梦影惊，异乡花鸟总无情。检囊怕触同心结，背地时温啮臂盟。忍使黔娄伤独活，不教方士报双成。青梅竹马儿时戏，此乐重寻是再生。

死别经年梦尚疑，羌无片语写哀思。却惊宿草封香冢，岂有飞花返故枝。清怨灵妃遗锦瑟，空名夫婿误金龟。思君一字千行泪，天上人间知未知。

杨铎的《沙湖三唱》

曲　辰

武昌沙湖，今指积玉桥至常家墩、沿东北向的一条狭长湖泊。以中北路为界，其东侧为东湖。过去统称沙湖。民国十三四年间，浙江永嘉人任桐(字琴父)寄迹于此，于湖之西筑“琴园”，自号沙湖居士，撰有《沙湖志》一书。任与夏口人杨铎为忘年交。杨铎(字闻泉)早年参加武昌首义。曾两次晋见孙中山先生，后来专研文史，尤精汉剧史的考证。1924年5月，杨应任桐之约，同游沙湖，回来后写了一篇《沙湖游记》，叙述"以琴园为首途，乘舆东行，渡一小溪，可五六里许，湖光在望，有一亭翼然湖畔"。"据亭远眺，但见湖水浩淼，远山苍秀，而湖之中有一长堤，约数里。堤之尽处，为一大平原，宛在水中，如海上蓬莱"。"渡湖南行，俯视湖水清浅，游鱼与水草相驰逐，均历历可数。日光下沏，尤著奇观。抵南岸至洛伽山，怪石嵯峨，呈铁色"。"据舟子云：由此而东，有一城廓曰东湖门，为古武昌城之一角。唐睿宗未帝时曾驻兵于此。其东有山如屏，高低起伏，蔚然深秀，有摩山、龙宫诸胜"。同年7月，任桐《沙湖志》成书，他为之作序，序中说："吾与琴父订交三年，与之游沙湖者再，""湖山风月，吾不妨与琴父平分而有。""自当退而求数顷之田于沙湖之上，以为躬耕之资。暇则驾一叶之舟，容与中流、入九峰、上灵泉、渡梁湖、历石壁、夹山、寒溪，而还泊于雁桥之下，徜徉山水之间。"可见他对沙湖眷爱之深。也就在这年8月，他和任桐等发起成立"沙湖建设会"，他写了一篇《沙湖征求诗文小启》，文中形容沙湖景色"绝未粉饰，一任天然，殆如村女之乱发粗服，别饶风致也"。最后说道："请以沙湖为绍，先结文字因缘。"这三篇文字不仅对当时沙湖的自然环境

作了记述，还提出了他们建设沙湖的设想，今天读来仍饶有兴味。后来他将这三篇文字排印成册页，由任桐题签，名曰甲子乙丑之间《沙湖三唱》，原件尚存其子宗琨、宗珙处。

沈祖棻赋词谈祸

纫兰斋主

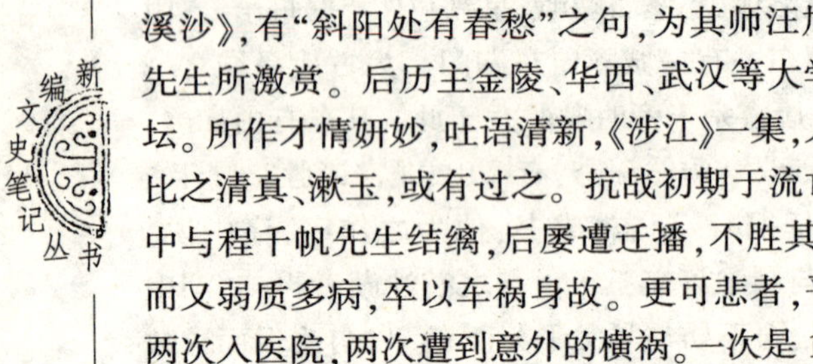

海盐沈祖棻先生以倚声名海内。早岁作《浣溪沙》，有“斜阳处有春愁”之句，为其师汪旭初先生所激赏。后历主金陵、华西、武汉等大学讲坛。所作才情妍妙，吐语清新，《涉江》一集，人皆比之清真、漱玉，或有过之。抗战初期于流亡途中与程千帆先生结缡，后屡遭迁播，不胜其苦，而又弱质多病，卒以车祸身故。更可悲者，平生两次入医院，两次遭到意外的横祸。一次是1940年4月在成都切除腹中肿瘤，医院起火，衣物尽毁，仓皇中仅以身免，有《宴清都》一词记其事：

> 庚辰四月，余以腹中生瘤，自雅州移成都割治。未痊而医院午夜忽告失慎。奔命濒危，仅乃获免。千帆方由旅馆驰赴火场，四觅不获，迨晓始知余尚在。相见持泣，经过似梦，不可无词。
>
> 未了伤心语。回廊转，绿云深隔朱户。罗裯比雪，并刀似水，素纱轻护。凭教剪断

柔肠（割瘤时并去盲肠），剪不断相思一缕。甚更仗、寸寸情丝，殷勤为系魂住。迷离梦回珠馆，谁扶病骨，愁认归路。烟横锦榭，霞飞画栋，劫灰红舞。长街月沉风急，翠袖薄、难禁夜露。喜晓窗，泪眼相看，搴帷乍遇。

又一次是1947年冬，在武昌医院剖腹产，医师竟遗纱布一大块于腹内，群医不知究竟，以致卧病经年。后由千帆先生伴送至上海，重新开刀取出纱布，但创口难复，几不能支。此事见于《水龙吟》：

> 丁亥之冬，余在武昌分娩，庸医陈某詟谓难产，胁令剖腹取胎。乃奏刀之际，复遗手术巾一方于余腹中，遂致卧疾经年，迄今不愈。淹缠岁月，黯暗河山。聊赋此篇，以申幽愤。己丑二月，记于沪滨
>
> 十年留命兵间，画楼却作离魂地。冤凝碧血，瘢萦红缕，经秋憔悴。历劫刀圭，牵情襁褓，艰难一死。叹中兴不见。藐孤谁托？知多少，凄凉意。争信余生至此，楚云深、问天无计。伤时倦侣，啼饥娇女，共挥酸泪。寄旅难归，家乡作客，悲辛人事。对茫茫来日，飘零药裹，病何时起？

刘永济病昏填词

马昌松

武汉大学已故教授刘永济(字诵帚),不仅是闻名海内外卓然成家的学者，而且是终生勤于诗词创作的诗人。我60年代初从他为师时,听到过他日课诗词、病昏填词的趣事。

抗战时期,刘永济在病中,几乎日课小词一阕以抒国危之忧。其夫人黄惠君笑他好似春蚕吐丝。他即填《西江月》一词为解:

日日垂帘欹枕,朝朝短咏微哦。多君怜我似蚕蛾,自吐冰丝缠裹。

不解题桥献赋,不能跃马横戈,九秋风露得来多,只共螿和。

更令人感慨和有趣的是，他曾在病昏中倚声填词,梦醒卒篇。1948年夏,他在武汉大学寓所,写有《浣溪沙》一词,记述他在热昏中倚声得句之事。其词前有小序云:“夏间下阶，倾跌伤肋,病热昏瞀,恍落一境,岩树森秀,流水潆纡,曳杖独吟,翛然清远,醒后惟记一湾七字,而幽境俨然,尚可追写,因足成之。”其词曰:

枕上吟魂不受招,溪山佳处去迢迢,人间烦热暂能消。万叠翠云如幄密,一湾柔绿殢人娇,梦痕刚到小红桥。

同年冬，刘永济的好友、湖南大学教授、书画家徐桢立(字绍周)曾仿古人笔意，绘有诵帚《梦境图》赠刘永济，画幅上题句："小极安心胜药方，静中端合忆潇湘，了无拘检是清凉。客里十年添皱面，江涯几曲比回肠，遥闻病起赋池塘。"

曹立庵为毛泽东治印

陈金铃

抗战后期，金石书画家曹立庵(武昌人)在重庆享有"柳(亚子)诗、尹(瘦石)画、曹(立庵)印"之美誉。

1945 年 8 月，毛泽东主席到重庆与国民党谈判。在"索句渝州叶正黄"的 8 月 30 日，柳亚子就到曾家岩"桂园"专程拜访。赋诗称颂毛泽东是"弥天大勇"，宛如"雨露苍生"，给苦难的中国人民带来了新的希望。10 月初，柳再度拜会毛泽东倾谈，请写《长征》诗见惠。毛亲手写了《沁园春·雪》。此词气势磅礴，柳叹"为中国有词以来第一作手，虽苏、辛犹未能抗手"。柳请毛用印。主席说"没有"。柳慨然许诺主席："我送您一枚吧。"柳不工篆刻，立即请曹立庵为主席治印。曹说："恐雕虫小技，不合大人。但为毛主席治印我将尽力为之。"于是连夜赶刻出来：一方为白文"毛泽东印"，一方为朱文"润之"。曹立即送到毛啸岑家面交亚子，由亚子转呈毛主席。

同年11月14日，著名言情小说家张恨水主编的《新民报》副刊《西方夜谈》首次发表该词，署名为“毛润芝”。有人关心曹立庵的安危，说：国共和谈破裂，蒋介石发动内战，张先生发表该词在“之”字上加了个草头，留有余地，你堂堂正正刻“毛泽东印”，当局只要在报上排5个字“曹立庵失踪”就够了。曹说：“我人是肉做的，刻字刀是铁打的，何惧之有！”柳对曹立庵铁骨铮铮极为赞赏，遂写诗相赠：“篆刻雕虫足壮夫！子云识字太模糊。秦新剧美玄文贱，抵得曹生铁笔无？”

张裕钊和他的日本弟子

闻钧天　遗稿　黎　辛　整理

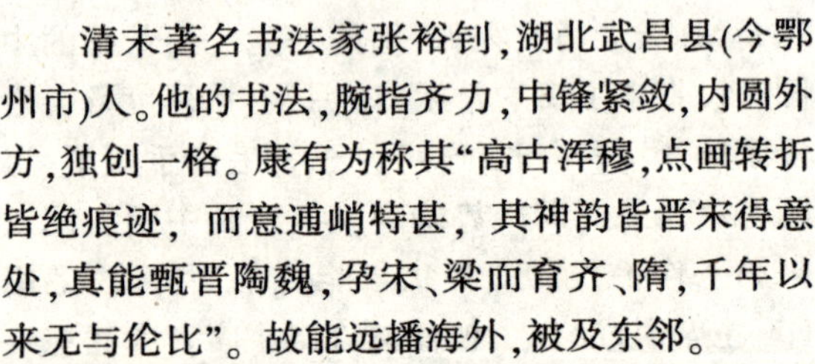

清末著名书法家张裕钊，湖北武昌县(今鄂州市)人。他的书法，腕指齐力，中锋紧敛，内圆外方，独创一格。康有为称其“高古浑穆，点画转折皆绝痕迹，而意逋峭特甚，其神韵皆晋宋得意处，真能甄晋陶魏，孕宋、梁而育齐、隋，千年以来无与伦比”。故能远播海外，被及东邻。

清光绪初叶，一位有远见卓识而又通晓中国情况的日本外交官宫岛诚一郎，接到清出使日本大臣黎庶昌所赠张裕钊手书苏东坡诗文的字幅和所著《濂亭文集》，爱不释手。其子宫岛咏士亦有汉学修养，见此尤为珍爱，遂动了留学中国、师事张裕钊的念头。经过几番酝酿考虑,年轻的宫岛咏士,于光绪十三年(1887)随黎庶昌直奔保定莲池书院,投到张裕钊门下,恳求收为弟子。

宫岛咏士对张裕钊一往情深,张走到哪里,他就跟到那里。从保定到武昌后,他准备东归探望已离开四年的双亲,但因张此时要转到襄阳鹿门书院,宫岛咏士立即推迟了行期。

光绪十七年年底,宫岛咏士从襄阳回日本。次年初结婚,半年后再来中国。当他途次汉口,得知张裕钊时在西安,于是马上乘船溯汉水到襄阳,去老河口雇小船循丹江至紫荆关,弃舟陆行,经商南、商县、蓝关,于光绪十九年春节前抵西安。张裕钊见其异国弟子突然前来,甚为惊喜。此时,宫岛咏士长途跋涉,历尽艰辛,面目憔悴,衣衫褴褛,张全家十分感动,都把他当作亲人。从此,师生情谊更加密切。

光绪二十年初,张裕钊辞世。追随张八年之久的宫岛咏士回到日本后,即以弘扬张裕钊的书法艺术为己任。次年,在平河町开设了"归咏舍"。后,又扩大规模改为"善邻书院",亲自讲授汉学和中国书法,并撰写了《官话篇》和《急就篇》。

黄亮给田中角荣题字

陈剑函

著名书法家黄亮先生，生前给许多名人题写过条幅与联语，并且和田中角荣有一段文字因缘。

1938 年 10 月下旬，日本侵略军占领武汉。当晚，黄亮写了这样一首绝句：

古有桃源可避秦，桃源今日渺无津。
桃源纵有人难到，得到桃源有几人。

书毕，他告诉家人："我，一介寒儒，未能执干戈以卫社稷，作个义民，深感内疚。要我拿着太阳旗去当顺民，那算不上是炎黄子孙。我走又无钱退又难，我们只有当难民这条路了。"于是他避居"法租界"，卖字为生。1943 年春，他写了一幅"简易高人致，萧疏旷士风"的对联在汉口荣宝斋出售。一天上午，该店着人请他，说有一位客人要买这幅字，请求书家落边款。黄亮来后，见客人是一位中等身材、面目和善、西装革履的日本人，他面有难色。客人迎上前去，执礼甚恭，自我介绍："我叫田中角荣，素仰黄先生的书法，今天能见到黄先生非常荣幸。"还彬彬有礼地请黄亮在对联上署上自己的名字，作为永久纪念。黄亮看到他揖让周旋，不失礼仪，遂给他题了边款。田中角荣喜形于色，盛情地邀请黄亮到银座品茶。

田中角荣与黄亮纵谈书艺，使黄亮惊讶莫名的是田中角荣竟盛赞岳飞撰书的《满江红》。于是黄亮以书法家的眼光对岳飞的词和字给以高度的评价，田中角荣十分折服。临别时，田中角荣整衣、拂发，双手垂直，脚尖儿比得齐齐地向黄亮鞠躬致谢。

田中角荣担任日本首相后，为实现中日邦交正常化作出了重要的贡献。1972年他访问我国，毛主席曾亲手将影印的怀素草书赠送给他。黄亮说："看来，田中角荣先生不仅仅喜爱中国书法，更重视中日友谊呵！"

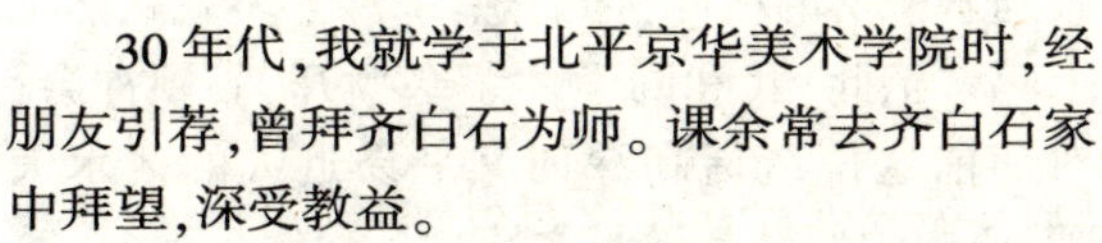

齐白石巧点吴江"冷"

王文农　口述　张正亚　整理

30年代，我就学于北平京华美术学院时，经朋友引荐，曾拜齐白石为师。课余常去齐白石家中拜望，深受教益。

有一年深秋，我画了一幅画，画中有大江、悬崖，崖上枫枝倒垂，枫叶随风点点飘落，一片萧瑟意象。画成，沉吟片刻，即以前人诗句"枫落吴江冷"为题。一旁观看的同窗好友顿时发出叫好声，一两个女同学甚至拍起手来。当时我虽不露声色，但心中却沾沾自喜。第二天课余，带上画，领着几个同学去白石老人家求教，满心想得到老师的夸奖。

齐白石凝神看看画后，操着地道的湖南口音说："这江嘛，可以称之为吴江，称为漓江、珠江、南江、北江也无不可。这枫枝枫叶嘛，动势也还有点韵致。可是这冷——"说到这里，拍着我的肩膀，带着启发性地问："伢罗，这冷意在哪里啊？"当时我无言以对。随去的几位同学也被问得怔住了。

白石老人看着我们的窘态，慈祥地笑着说："伢罗，你在那悬崖下添一叶扁舟，舟上坐一个披风衣、戴风帽的人……"话未完，一位女同学连连拍手，一口京腔地叫起来："妙！妙！这一来冷意就有了！""不！"白石老人大喝一声，慢慢踱到堂上一小板凳前坐了下来："这样冷意还是不足呵。"说着，他将两手插进袖筒，拱到脸面前，捂住鼻子嘴巴，又缩肩拱背，扮出一副怕冷的样子："要把舟中那人画成这个样子，还要让其两眼瞄着飘落的枫叶，你们想，那冷意不就跃然纸上吗？"至此，我和同学才茅塞顿开，心领神会，对面前这位造诣高深而又平易近人的艺术大师，心中油然升起敬佩之情。

《圣经》灯谜

邓恩庆

基督教“中华信义会”进入华中和武汉地区较早，其全国总会在武汉市区附近设有几间全国性教会联合事业，其中之一为滠口“信义神学院”。我于30年代中期在该校上学。记得一年圣诞节，学院举行联欢晚会，有“《圣经》灯谜”节目。红绿灯谜条，五色缤纷，布满会场一角，甚吸引群众。其中颇多精彩条目，如：

吾静——射《旧约圣经》一节。

谜底为：“无言无语，也无声音可听。”

——《旧约诗篇》第十九篇第三节

徐——射《新约圣经》一节。

谜底为：“无论在哪里有二三人聚会，我就在他们中间。”

——《马太福音》十八章第二十节

陈蔡绝粮——射《旧约》人名一。

谜底：尼希米。

双果俱存——射《圣经》四字用词一。

谜底：实实在在。

又时值抗战军兴，有一射人名谜条目甚妙，其谜面为：

缶——射时人一。

谜底：马占山。(十二属第七午属马)

后据了解，此次灯谜条目，多出自该学院教授陈建勋、程光、杨道荣等人手拟，诸人文学根底较好，且精于此道，故所作多典雅、贴切，甚耐人寻味。

张之洞猜谜与制谜

成 聪

清光绪末年，武汉的文人墨客，在攻习制艺之外，无所事事，因此竞尚灯谜之戏。作者云屯，射者雨集，极一时之盛。每年从正月初一到二月朔，在江夏县闹市(今武昌司门口一带)之照壁上，经常粘有长六寸、宽三寸的红纸帖，上书“订于某月某日，春灯候教，灯设某街某巷某宅”。一日数家者有之，一巷数家者亦有之。尤其上元前后，几无虚夕。嗜此者不仅围观其下，进而奔走相告，相约赴某宅射虎。

湖广总督张之洞亦好此道。每天公退余暇，辄派人至某处将谜条悉数抄回，片刻后，又命人将所猜谜底送去，命中率甚高。所得的纸墨笔砚等奖品随即分赠僚属，并相与品评各谜之精当与否，以为笑乐。

张氏既善于猜谜，亦擅长制谜，一有新作，众口传诵。先祖尝为我讲述张氏所制佳谜十多条，今简介五则如下：一、两朝开济老臣心，射一中药名：卧龙丹；二、初三初四娥眉月，射唐诗一句：此曲只应天上有；三、门前一树马缨花，射《礼记》二句：户开亦开，户阖亦阖；四、夜来风雨声，花落知多少？射《易经》一句：中心疑者其辞枝；五、太史公下蚕室，射《琵琶记》二句：毕竟是文章误我，我误妻房。

楚剧第一位琴师严少臣

余文祥

楚剧，原名黄孝花鼓，亦称西路花鼓。早期的花鼓戏，没有弦乐伴奏，而是一唱众和、人声帮腔的"哦呵腔"。1923年以后，试用胡琴伴奏成功，严少臣就是它的第一个琴师。

严少臣生于光绪十年(1884)，本名张名海，过继给舅父改姓严，系湖北黄冈(今武汉市新洲县)仓埠镇人。他自幼双目失明，但秉赋聪慧，记忆过人，青少年时代即学会拉琴。初为算命先生，后改行为汉剧操琴，曾作牡丹花、万盏灯、刘顺娥等汉剧著名演员的琴师。当时，汉剧界称他为"瞎子海"。1923年，汉口天仙茶园的陶古鹏、李百川、章炳炎等，聘请严少臣为花鼓戏试用胡琴伴奏。严少臣既精通汉剧文武场，又对花鼓戏十分熟悉。他热心试验，和演员们通力合作，谱工尺，定过门，合鼓点，并与演员反复试唱。不到

两个月时间,"天仙班"的音乐改革一举成功。陶古鹏、李百川主演的《白扇记》,成为该剧第一个用胡琴伴奏的剧目，严少臣则成为该剧文场伴奏的开拓者和奠基人。从20到30年代,楚剧在"高亭"、"百代"两家唱片公司所录制的唱片中,有近80%是严少臣操琴伴奏的。

欧阳予倩汉皋绝响

青　子

欧阳予倩最初演新剧，是中国话剧运动奠基人之一。他从小喜学京剧青衣,1916年前后,又与著名票友林七、江子诚、陈道安切磋,二三年后,即在京剧舞台上与观众见面。嗓音清越，中气充沛，唱工考究，遂与京剧大师梅兰芳齐名,时称"南欧北梅"。他除了演出传统剧目和编演许多《红楼梦》的剧目外,还自编、自演不少新京剧如《人面桃花》、《杨贵妃》、《潘金莲》等。这些新编剧目不论在内容、结构、语言方面都有所革新和创造。他的演技细腻逼真,善于刻画不同身份的人物性格,风格多种多样。尤其是在舞台上能随机应变,临场修改唱词,突然出现惊人的动作,使观众为之绝倒。20年代中,他应汉口新市场大舞台(今民众乐园)班主蒋保和之请,来汉演出梅派戏《莲英惊梦》,他扮莲英。演员们按剧情约定,先上场的是莲英妹,唱四句摇板思念其姐,唱完即倚床而卧。然后莲英在后台唱倒板从纱幕出场,站在床头。此时莲英妹起床,面向下场门循声觅姐。但欧阳予倩唱完倒板,却特意隐不露面。妹看不见姐,于是大步上前寻找,依然不见,哪知走近下场门时,莲英却跟在妹后,等妹回身时突然相遇,大吃一惊,下意识地绕床而奔,姐则紧追不舍,跑了三个圆场才止。假戏真做,真实动人,全场轰动,一片掌声。1926 年底至 1927 年初,又应血花世界(今民众乐园)李之龙之邀,来汉演出《卧薪尝胆》、《人面桃花》、《馒头庵》等剧,其时他已三十九岁。后到上海、南京、广州等地,继续从事新剧活动,虽然仍旧进行京剧编剧和理论研究,但此后即未再上京剧舞台,算来他从 1916 年开始从事京剧的创作和演出至此约十五年之久。1962 年逝世后,田汉曾挽之以诗,诗云:

谈到歌台每忆君,精微无限感遗文。
只怜绝唱惊江汉,从此人间不易闻。

熊佛西编戏悼施洋

陶　石

现代著名戏剧家熊佛西，毕生从事戏剧事业,创作剧本 40 余部,宣扬爱国主义和民主思想。所作纯朴精炼，故事性强，别具风格。一般多注重其从美国留学归来以后创作生涯，实际上他的戏剧活动早在汉口读书时就已开始。1914年其父在汉口开设茶叶店，他随父来汉，入圣保罗中学就读，在校看到演出一个题为《马槽》的戏，取材于《圣经》耶稣降生的故事，内容、情节都很平淡，他很为不满。后来入刘子敬出资创办的辅德中学，该校每年耶稣生日放假两天，先后演出了英文教员桑稼轩所编的《郑成功》、《吴三桂》、《茶花女》、《牧猪奴》、《谈笑话沧桑》等话剧，他积极参加演出，并自编一剧名《徐锡麟》，演出时他自扮徐锡麟，另一男同学梅生扮秋瑾，受到学生和家长的好评。在一次校庆的晚会上，他又自编自演了《可怜闺里月》。1918年湖北水灾，他还写了一个反映灾情的剧本，自演灾民，一次募得赈款三百余元。1923年大学毕业后回校教英文，写了话剧《新闻记者》，引起轰动。此剧后收入他的戏剧集《青春的悲哀》，1924年由上海商务印书馆出版。1923年"二七"大罢工爆发，军阀吴佩孚指使湖北督军萧耀南杀害罢工领导人之一施洋。其时他尚在武汉，接触了许多工人和革命者，对他们的救国救民和舍己为人的精神十分敬佩。施洋牺牲后，他尤其感到震动，于是奋笔写下了三幕悲剧《甲子第一天》。剧本描写了施洋献身革命支持罢工的伟大胸怀和惨遭军阀杀害的悲壮事迹，塑造了革命者时伯英(即指施洋)的形象。剧中主角时伯英以律师为

业，有一个美满的家庭，他对慈母、爱妻和娇子都十分温顺，为人热情、正直，思想进步，平易近人，可是一旦面对敌人，则大义凛然，坚强不屈。为了支持烟厂工人罢工，他准备全力以赴。农历除夕之夜，他劝告母亲不要出去收账，叮嘱妻子要迎接苦难，教育孩子要坚强做人。当敌人迫害罢工工人时，他挺身而出，终于在甲子(1924)年正月初一被秘密杀害。这时正值家家欢庆团圆，但时伯英为了捍卫群众利益，伸张正义，献出了宝贵的生命。这个真实的悲剧表达了作者对军阀暴行的愤怒和抗议，也寄托了他对革命者的无限敬佩和同情，读之使人泪下。此剧本后来在文学研究会编辑的《文学周报》上连载，是熊佛西第一部直接描绘革命者形象的作品，也是迄今所见到的第一个以“二七”为题材的剧本。

外国人在汉口演京剧

张定国

1934年6月，德籍女演员雍竹君应邀从北平来汉，在新市场(今民众乐园)大舞台演出十一天，场场客满，一时轰动武汉。与她一同来汉演出的有谭派老生杨宝忠、龚派老旦卧云居士、杨派武生吴彦衡，他们演出的剧目有《打鼓骂曹》、《钓金龟》、《挑滑车》等，压轴是雍竹君的《贺后骂殿》。她扮相美丽,程派唱腔韵味十足,深受观众赞赏。演出期满,又应新市场之请,加演四天,演的是《玉堂春》、《四郎探母》、《得意缘》、《六月雪》,亦是场场满座,观众喝彩不绝。

雍竹君的父亲雍克(译音),曾任北平市德国驻华领事馆参赞,后在北平开设"宝珠酿酒公司"。雍竹君从小就在北平德国学校读书,聪慧过人,能讲中、英、德、法等国语言,特别喜欢京剧,幼年常到北平戏院看戏。父亲见她喜欢京剧,便请专人来家里给她教戏。开蒙老师有寿一臣、吴富琴等人。经过几年的严格训练,加上她颖悟好学,共学会五十多出戏。以后,又经梅兰芳、程砚秋等名家指点,终于使她在京剧王国里,占有一席之地。

武汉和四川戏剧界交往

张祥麟

1933年,川剧名演员赵瞎子、薛艳秋、杨云凤等组织剧团到上海演出,备受冷遇,落魄而归。他们路过汉口时,住在江汉关附近一小客栈中。"湖北剧学总会"委员长、汉剧名演员傅心一,委员、楚剧名演员王若愚代表汉口戏剧界前往问候,当天又送去全红请帖四十多张,请该团于次日在汉口"杏花天"赴宴,礼数甚周,场面热烈。该团启程时，傅、王等人又亲到码头送行。赵瞎子等感激之余，赠川剧名剧《鸳鸯冢》、《江油关》、《情探》三脚本以作纪念。到了1938年，王若愚率“问艺楚剧二队”到重庆，为演出场子“一园戏院”的问题，与川剧界发生纠纷。重庆川剧会首魏香庭告到法院，事态严重。王若愚和傅心一去找赵瞎子说明楚剧队的困境，请赵帮忙解决。赵十分热忱，连说：“我们川剧帮这样对待客人还成话么？请放心，这事包在我身上，一定和平解决。”当即到魏会首家中，讲出往年过汉，汉口戏剧界如何仁义的事，魏一听气全消了。第二天，在重庆“礼泰大酒楼”宴请楚剧二队，还请了傅心一和川剧界的一些代表人物作陪。酒过三巡，魏会首一揖到地，举杯致辞：“不知者不为罪。从前川戏的人过汉，先生们雪中送炭，设酒席招待，今天先生们逃难到重庆来，我们却这样招待。戏剧界的人知道了，岂不骂我们非人也？日前冒犯，万望海涵。今后，官司由香庭负责了结，‘一园’归楚剧表演。”意极诚恳，宾主尽欢而散。

汉剧花旦的“三鼎甲”

张定国

汉剧是湖北省古老而优秀的地方剧种之一。自清初以来，人才辈出。道光年间(1821—

1850),优秀旦角相当多,如青衣有胡德玉、胡福喜、张纯夫、高秀芝,花旦有张红杜、叶双凤,武旦有姚秀林、王金铃、程颉云等。

辛亥革命以后,汉剧开始有了女演员。30年代,女演员已经在旦角中占主要地位。40年代初期,人们便对一些演技高超、声情并茂的汉剧女演员进行评议。从众多的旦角女演员中,评出了前后"三鼎甲"(科举殿试名列一甲的三人,即状元、榜眼、探花)。黄大毛、花牡丹、陈素秋为前"三鼎甲",陈伯华、张美英、万盏灯为后"三鼎甲"。

在旧社会,许多女演员大都遭受厄运,汉剧花旦的"三鼎甲"也不例外。前"三鼎甲"之首的黄大毛,被一军阀的儿子强占,因不堪凌辱而吞鸦片自杀。后"三鼎甲"之一的张美英,在抗日战争期间流落外地,最后贫病交迫而死。

幸运的是后"三鼎甲"之首的陈伯华,解放后,重返舞台,她主演的《宇宙锋》在全国戏曲汇演中获表演一等奖。1962年,周恩来总理提议成立武汉汉剧院,并亲自提名陈伯华任院长。同时,万盏灯也活跃在汉剧舞台上。她们都取得了很大的成就。

郑东华的《江汉图》词

符号

湖北沔阳人郑东华，曾在江夏县(今武昌)做官，擅写作。他写的《江汉图》词，用《挂枝儿》曲调，按十二个月叙述，对武汉的名胜古迹和社会风貌，描画生动而具体。光绪二年(1910)，由荆州花鼓戏名演员“赛湖北”(谢春成)在汉口演唱，红极一时。词曰：

正月来到梅花地，武汉三镇赛云梯。黄鹤楼，成古迹，江汉书院御笔题。晴川阁高凌云际，行宫内面供虞姬。蛇山断腰半空里，凤凰山自有凤凰栖。佳人才子寒温叙，

"得意春风快马蹄"。

二月春风百花茂,祢衡坟葬鹦鹉洲。崇福寺桃花开洞口,红粉佳人龟山游。月湖堤,垂杨柳,三太馆开怀饮酒瓯。游女归去黄昏后,"悔教夫婿觅封侯"。

三月清明桃李盛,轰轰烈烈汉阳门。黄会馆,听瑶琴,来往踏青女佳人。过长街就把古楼(鼓楼、南楼)问,草湖门(武胜门)在面前存。何方歌舞闹盈盈?"牧童遥指杏花村"。

四月清和景致幽,热闹还算大码头:米厂河、卖风流,会馆对面造洋楼。接驾嘴斜对洗马口,转弯抹角后湖里游。得意相逢沽美酒,"与尔同销万古愁"。

五月龙舟闹长江,有名花园刘景棠。洪山宝塔高数丈,盐船尽弯塘角上。卓刀泉,关圣像,关圣帝君把名扬。芦(楼)中玉笛风飘荡,"众仙童儿咏霓裳"。

六月荷花采(彩)莲船,乘凉要到梅子山。杨叶湖、立旗杆,望江失火东门湾。两岸野花无心看,"别有天地非人间"。

七月到了银河岸,玩耍要到铁门关。李祥兴重修玄妙观,西门桥上玉石栏。行走铁铺四下看,挽手又到朝阳庵。晚上登楼同乞巧,"月移花影上栏杆"。

八月桂花忙举子,粉墙鹅字王羲之。贡院门主考何房师?考选湖北奇才子。阅马场排的弓箭与刀石，不用文章李杜诗，摘下丹桂第一枝，“十年身到凤凰池”。

九月登高珠玉带，幽雅还上伯牙台。钟子期知音人不在，伯牙碎琴泪满腮。八仙藏躲西门外，如来阁下菊花开。饮酒赏花君当醉，“隔篱呼取尽馀杯”。

十月梅花满山村，诸葛亮造起万年灯。鲇鱼司许败不许兴，江汉书院武昌城。四大衙门威风凛，禁止喧哗锁拿闲人。三声炮响天地震，“路上行人欲断魂”。

冬月朔风寒冷天，大王庙修花楼前。永宁巷，四官殿，青春女子美少年。王孙公子去游院，唱的马蹄调，外洒落金钱。扭开菱花照脸面，“将谓偷闲学少年”。

腊月雪花飘江口，救生船弯龟山头。魁星阁文光照牛斗，朝中门对御矶头。归元寺五百罗汉修，大王庙修在府街后，花台十里成古丘。一年四季表完后，六十花甲转轮流，“物换星移几度秋”。

曹正兴菜刀

彭光明

武汉曹正兴菜刀与杭州张小泉剪刀一样，在全国刀剪行业中历史悠久，颇具名气。曹正兴菜刀的创始人是黄陂县祁家塆的大曹塆人曹月海。

清道光十年(1830),二十三岁的曹月海到汉口先学打铁,后以贩卖菜刀为生,并逐步摸索出菜刀的制作和验证钢火的技术。10 年后,便偕同远房侄儿筹办了一盘“行炉”(流动性红炉)锻打菜刀,于农历正月十五日开业。为图吉利,取牌号为“曹正兴”。

为适应湖北人喜爱骨头煨汤的饮食习惯,曹月海研制出前薄后厚、前切后砍、切砍兼用的菜刀。这种刀锻打很考究,选料、锻坯、夹钢、淬火等工序及刀样、钢火的检验均有严格的要求。它不仅刀板平整,样式美观,而且刀口锋利,切姜不带丝,切肉不带筋,砍骨不卷口,很受用户喜爱。不到三四年,“行炉”改成“定炉”,牌号为“曹正兴刀铺”。

在生产过程中,曹月海总结了制刀工艺的要领,即“三钢”(试钢、夹钢、锻钢)、“四口”(铲口、提口、直口、磨口)、“一淬火”(涂泥后平烧刀背再下水淬火)。并归纳成“走得稳,夹钢紧,贴得平,刀口匀,青钢白铁两分明”的口诀,使新老工人,很快就能熟练掌握,菜刀质量日臻上乘。此传统工艺延续至今,故曹正兴菜刀的信誉历久不衰。

誉满中外的高洪太铜锣

彭光明

1914年，黄陂县(今属武汉市)人高青庵在汉口长堤街开设高洪太响器店。他亲自负责认真校音，如有小疵，当即为客加工定音，渐得用户信任。1931年，始增加雇工自设作坊生产，以制作班锣、马锣等小件为主，后来产品增至二十余种。铜锣是用一定比例的铜和锡经过熔炼、锻打、淬火、车刮和校音等多道工序制作而成。每道工序高均逐一过问，不合格者绝不流入下道工序，因此产品质量信誉卓著，逐渐发展成为武汉规模较大的锣厂，与北平、天津、上海、西安等地乐器店均有业务往来。抗战胜利后，高派其子明汉专事掌握市场动态，听取用户意见并及时改进，扩大了京剧常用的锣钹等响器的产量，但仍供不应求。

高青庵灵活运用正反轻重虚实等击捶技巧，因锣施捶，既有章法，又有变化，能准确地定出和体现各种不同的音响效果，满足用户的不同需要，被剧团尊为“一捶定音”的大师。高洪太响锣质量过硬，还因为他荟萃了武汉地区制锣行业的精英。从40年代起，该厂培养出来的高永运率其艺徒高永铨、高世春等人，特制和改造了响器达十八种之多。建国后，该厂又吸收了周吉畅、周吉安、周吉德、夏天枢、王贻琪与汪保和父子等一批高手。他们各有所长，精益求精。

梅兰芳在汉口吃河豚

涂仁恩

汉口人吃河豚的历史，有据可查的至少可以上溯到清道光二十年(1840)，叶调元在《汉口竹枝词》中赞扬道："鱼虾日日出江新，鳊鳜鮰斑味绝伦。"词中的斑鱼即河豚的俗名。

汉口有一家创建于光绪元年(1875)的以烹饪河豚出名的餐馆——武鸣园，著名京剧艺术大师梅兰芳，曾经在这里领略过河豚的美味。当时，闻讯前往"观梅"者络绎不绝，留下了"名伶名肴两相彰"的佳话。

1919年，梅兰芳应汉口合记大舞台经理赵子安的邀请，到汉口作第一次演出。同来的有王凤卿、姜妙香、朱素云、姚玉芙等名角。按照当时的行规，梅兰芳在演出前，先到武汉的一些头面人物家中"拜客"，受拜访的人则设宴为他洗尘。就是在这种情况下，梅兰芳被邀到汉口襄河边鲍家巷的武鸣园去吃河豚，终席后赞不绝口。他回到北京后，逢人就说：汉口的餐馆，数武鸣园最好。

梅兰芳吃河豚的事，直到1933年还有人在汉口的《镜报》上发表过一首竹枝词："口之于味亦犹人，到底梅郎赏识真。舍命但求能适口，武鸣园里吃河豚。"

金镇香肠烧腊

龙　麟

武昌县金口的"金镇香肠烧腊"，素负盛名。从清代起，镇上就有两家特大的烧腊馆，一家是"生香斋"，另一家是"桂香斋"。生香斋在抗战前即迁往汉口了。桂香斋从清代姓盛的老板传到杨汉卿手，一直经营到解放前。

杨汉卿本是汉口志成布店的店员，慕名桂香斋的香肠、烧腊堪与金华火腿媲美，便辞职，到金口桂香斋拜师学艺。杨汉卿为人勤快、好学，对盛老板十分敬重。抗战初期，桂香斋的烧腊馆实际全由杨汉卿经营。

桂香斋制作香肠、烧腊的工艺十分讲究，如卤制品就有一选、二配、三火、三卤、四摊、五成品。一选新鲜、整块的猪腿肉；二配是卤汁用母鸡汤加配料；三火与三卤是用文火卤三次；四摊是每卤一次，摊凉一次，到了第四趟摊凉后，将烧腊用荷叶、包装纸包成四角形，贴上红纸印的"桂香斋"商标出售。每一批成品，不经上述制作程序，就不准包装。

生香斋与桂香斋的香肠、烧腊，统称“金镇香肠烧腊”。清代至民国时，不但有成批贩运外地，且城乡四周人民常来品尝，四时八节与婚姻喜庆，成为馈赠的佳品。

小桃园瓦罐煨汤

陈剑函

武汉市民有喝汤的习惯。煨汤最出名的要数汉口小桃园了。

1944年12月9日，盟军飞机轰炸日本侵略军占领的武汉，把汉口天主堂医院炸成一片废墟。该院中餐厨工袁德照、西餐厨工陶春甫在医院被毁后，到兰陵路侧(今兰陵路六十四号)搭起一个棚子。陶卖豆浆，袁炸面窝。一年以后，入不敷出，便合伙租间小屋，改行作瓦罐煨鸡汤。陶春甫建议取个招牌名，在“陶”、“袁”二姓之前加个“小”字。袁说“小字只有三个笔划，岂不开三天就垮了，不吉利。要找一个多笔画的‘小’字”，遂定名“筱陶园”。该店煨鸡汤有个特点：选黄(陂)孝(感)母鸡，炸至见黄，清水、佐料入罐。旺火断生，文火煨透，汤出原汁，放盐适度，一客一罐，一热三鲜。因而食之者众，甚至名人雅士也来光顾品尝。后发展有煨排骨汤、八卦汤、黑鱼汤、甲鱼汤，逐渐成为煨汤名店。

解放后，招牌几次更改。1979年政府号召恢复名牌特色风味，此时年近古稀担任这家煨汤馆副经理的陶春甫提议将“筱陶园”改为“小桃园”。此提议被采纳，从此扩大经营，这家煨汤馆又名扬三镇了。

黄陂武湖银鱼

张恭华　口述　谌志刚　整理

黄陂县的武湖与长江相通，鱼类资源十分丰富。首屈一指的“武湖银鱼”，可谓一绝。与其他产区的银鱼相比，武湖银鱼则更加美味可口，更富营养，古时曾被列为“贡品”。

银鱼，一般通体透明，色白如银，呈细长条状，长三寸左右，直径不过分许，一条晶体线贯穿首尾。而武湖银鱼另具特色。除周身雪白外，翅为青色，尾为墨色，通称“青翅墨尾银鱼”。味道鲜美，汤粘嘴唇，若与猪肉一起煨汤，无论煨煮多久，肉烂而不化，十分爽口，存放数日也不变味。武湖银鱼晒干后，若用火点燃，从头至尾可以烧尽而不存灰迹。

曾经有一富户，用银鱼烩萝卜丝(二者同是白色条状)款待客人，客人不悦，以为主人太吝啬。可是尝了一口之后，顿觉清香四溢，鲜美爽口，甚感奇怪。正欲问及，主人笑着说：“这萝卜丝是用武湖银鱼炒的。”客人顿悟，赞赏不已。

武湖湖面浅平、辽阔，不仅水质、水温条件好，而且吸收太阳热能快。加之方圆数十里都是农田，饵料十分丰富，故“武湖银鱼”独具特色。遗憾的是，由于武湖围垦，武湖银鱼逐渐失去了赖以生存、繁衍的条件，现在绝迹了。

琴园追昔

刘先枚

琴园——系浙江旅鄂巨贾任桐之私园。园旧有景十六，只“琴堤水月”、“雁桥秋影”、“寒溪渔梦”三景在园中(余均借外景为之)，为当年雅集游乐之所。

斯园始建于1921年，毁于1931年之洪水。1938年武汉沦陷，琴园为日军兵营，破坏尤为严重。盖琴园之始建，垒土为山，阙地为水，如去其高下即易夷为平地，几经沧桑，琴园遂不复存。

琴园故址在今湖北大学西南隅，背长江，滨沙湖，黄鹤楼、伯牙琴台在望，湖山形胜，回环作势。萃景物于斯园，至今尚可见其仿佛。如今由运动场西行至校门，曲尺形大道即昔之琴堤；图书馆左后之空场，即昔之断桥垂柳映带小亭处；教工食堂前球场，昔为港口，系游艇停泊处；今游泳池东偏深沟，当为昔之寒溪。旧打靶场之垂柳，系由琴园移植。与游艇停泊处仅隔一条马路的老电影场库房，在60年代尚见有汉白玉碑一方，上镌有“琴园”二字，现已不知所终。

武昌名山“龙”占多

涂忠影

“天下名山僧占多”，而武昌的名山则是“龙”占多，如龙山、盘龙山、青龙山、黄龙山、二龙山、支龙山、龙泉山、龙头山、九龙山、龙起云山、关龙山、龙嶂峰等。关于武昌山川形胜多冠龙的原因及其山的来龙去脉，清代朱炯(明楚昭王后裔)有文曰：“以八分山为始祖，锦绣山为少祖，顺龙逆结，仓库旗鼓，东走各支。”相传八分山是众龙产生的龙宫、龙洞，锦绣山是各支龙经游的圣地。明代兵部尚书、江夏人熊廷弼有联云：“锦绣山高，脉脉结成龙虎地；梁湖水阔，滔滔流入凤凰池。”

“东走各支”，即龙泉山群峰。其山三面临牛山湖与三汊港，在无边碧浪之间，逶迤地崛起龙起云山、二龙山、龙泉山、龙嶂峰等。在珠山前，众龙山的高峰腾地而起，似昂起龙头争夺珠峰，气势十分雄伟壮观。

自汉代樊哙葬于龙泉山后，这里被明代王朝派遣的卜师勘为“九龙捧圣之吉地仙壤”，成

为九王暨王妃的陵区。“昭园”等八座陵园，到处是龙的艺术，龙的文化遗存：双龙戏珠的石碑，通高 5 米至 5 米 5，碑下的龙头龟趺，高 1 米至 1 米 4；凡拱桥、享殿、九龙台等，无一不是用汉白玉雕刻的龙头与龙纹装饰，翠绿色的瓦当，全是盘龙、双龙、飞龙等龙的风采。其诗碑，也多咏龙，如宋代诗人张文渊诗中就有“龙池春水盛，远望云烟连。百亩风潭阔，一川幽雾眠。金鳞常出没，绿草更襟环”。

东南走向的龙山、龙岗、龙泉，均是“以八分山为始祖”。山下有洞，即“白云洞”，传为白龙仙子所居之仙乡。熊廷弼也曾题诗云：“重重崆峒自天开，殿殿无梁龙世界，”“窈窕龙宫通地脉，崆峒石窦转天心。”关于此洞与武昌山川形胜，清代金口人陶谷的诗文集中有诗云：“龙宫通九脉，龙泉十壑深，江夏龙虎地，何人道八分？”的确，站在八分山顶端眺望，眼际以龙为名的群山，蜿蜒起伏，真如群龙竞走，风举云从。

别出心裁的江西会馆

张定国

汉口自清代康熙年间以来，便是水陆通衢，各省商人陆续群聚。他们所修建供居住和洽谈商务的会馆在建筑风格上都各具匠心，争奇斗胜,互不相让。其间,名为万寿宫的江西会馆,更是独领风骚。会馆规模极其宏伟:两旁宫墙突出,门前对放两只大石狮。正殿为万寿宫,北为仁寿宫,南为扶桑宫。内面还有大舞台、亭台楼阁、假山花园及荷花池等。共占地约合今4000多平方米,花白银数十万两。因为江西盛产瓷器,为了给瓷器作商业广告,他们便别出心裁,会馆的屋顶与墙壁大都使用瓷制品,色彩鲜艳,金碧辉煌。

由于万寿宫的建筑在汉口各会馆中别具一格,吸引了大批商人前往参观并洽谈商务,不啻为其做了义务活广告。

清咸丰二年(1852),洪秀全的太平军攻占汉口,东王杨秀清即住在江西会馆,指挥攻打武昌的战斗。抗战初期,遭到日机轰炸。解放后,在江西会馆旧址处建了武汉市第七中学,校园内两株高达二十余米、树龄二百余年的古银杏,为当年万寿宫花园的故物。附近的万寿街,即因此宫得名,并一直沿用至今。

元旦“开笔”

成聪

旧社会,正月初一称为元旦。到这一天,一些书香门第要举行“开笔”的活动。祭了天地祖

先以后，由家长或经其指定的人在一方红纸上写下八个象征吉祥的字样，多数是写的“元旦开笔，百事大吉”或“元旦书红，万事亨通”等等。上下句必须押韵。

某年除夕，伯祖对我祖父说：“你的八股文和试帖诗，看来已到火候，可以进学了。元旦就由你开笔吧！”那年正月初一，祖父在朱红纸上写下了“元旦开笔，游泮可期”。当年进县赶考，他果然中了秀才。

我父亲结婚的第二年，祖父盼孙心切，要祖母向父亲示意，并安排他主持开笔活动。那年正月初一，父亲在桃红洒金笺上写的是“元旦开笔，梦熊梦罴”。到了腊月，我就出世了。

由于我体弱多病，在五岁开始练毛笔字的时候，祖父为我写了“元旦开笔，不染诸疾”的影本，令我经常临摹。到了每年正月初一，就要我把这八个字写在印有寿星图像的绯红纸上。然而，年复一年，我依旧经常吃药。

读高中时，我的表兄向同学们宣扬了这件事，有的同学老是笑话我：“元旦开笔，拿药来吃。”从此以后，我坚决摒弃了这种一年一度的表达美好愿望而又带有迷信色彩的活动。因为我在学校住读，集体吃饭促使我改正了偏食的习惯，同时又加强了体育锻炼，直到读大学，倒真的是“不染诸疾”了。可是，母亲对我说：“你看到了吧？爸爸每年都在为你祷告：‘元旦开笔，百病远离’。这还是菩萨祖宗在保佑呵！”

前不久，偶然和晚辈们谈起这些往事，他们问我："如果现在你要开笔，你打算写什么呢？"我的回答是："元旦开笔，祖国统一。"

接年词

姚海东

每逢大年初一清早，鄂东一带农村的男男女女，都要到全村年纪最大、辈份最长的人家里去拜年。如果有人不去，就是失礼。这种传统习俗，相沿至今。

我家住在鄂东新洲县的一个姚姓村庄里。全村，我祖母年纪最大、辈份最长，除夕一过，村里的人都要到我家拜年。他们依次磕头后，口里还要喊："祖母接年。"我祖母安稳地坐在上面，分别向拜年者致接年词。接年词因人而异，很少雷同，但须符合身份。比如对年纪大的说："恭喜你：多福多寿，儿孙满堂！"对种田的说："恭喜你：五谷丰登，插田打担(粮)。"对年轻的说："恭喜你：兴家立业，出人头地。"对未婚男青年说："恭喜你：成家立业，下半年接过花大姐。"对未婚女子说："恭喜你：下年发嫁，嫁个如意郎君。"对年青媳妇说："恭喜你：能干持家，再得个米头子儿(儿子)。"对学生说："恭喜你：聪明智慧，进学中举。"对儿童说："恭喜你：无病无痛，易长易

大。”对做生意的说:“恭喜你:东去遇财,西去遇宝,一本万利。”对干公事的说:“恭喜你:事事遇贵人,步步高升”等等。我祖母不识字,她的这些接年词不知是怎么学来的。

祖母去世后,我的母亲又成为全村的长者,同样要向每个拜年者致几句接年词。解放后,她的接年词有所更新。比如对学生再不说“进学中举”,而是说“考大学,当科学家”。对干公事的人再不说“步步高升”,而是说“好好为人民服务”。对有孩子的年青媳妇再不说 “添一个儿子”,而是说“把孩子养得健康聪明”等。我的母亲也不识字,我们又未教她,她的这些接年词,是怎么组织得如此恰到好处,对我来说也始终是个谜。

武昌的甘蔗节

吴　寅

抗战前在武昌,每年农历三月二十八为甘蔗节,各行各业的手艺人一概歇工,到洪山去赶宝通寺的“天齐会”,绅商淑女也纷纷前往进香。此时当地卖甘蔗的一是多,二是贵,然而买甘蔗的却没有一个人还价。“甘蔗有价福无价”,朝山敬香的人谁愿意在甘蔗节这一天做“折福”的事呢?

青年人买了甘蔗当时就吃, 老翁与小脚妇女则把甘蔗当作游山的手杖, 回去后再和家人分享。我记得当年脍炙人口的《洪山竹枝词》中，曾经有"甘蔗一根堪作杖，无人不道看花回"的诗句。

甘蔗节究竟起源于何时？为什么仅仅盛行于武昌？洪山的甘蔗到底有哪些"贵气"？小时候，我找过几个老辈人请教。据说元末徐寿辉起义，在蕲水(今湖北浠水)建都称帝后，派遣邹普胜智取江夏(今武昌)。约定在城内接应的人，手持甘蔗为号。邹部官兵入城后，见人家门前有甘蔗渣的概不侵犯。从此以后，武昌遂流传这一天吃甘蔗可以免灾的说法。

另一种说法是：洪山甘蔗好就好在能够清火明目。其实，谁知道那么多的甘蔗是从哪里贩来的呢？

1938年4月，武汉警备司令部以"国难严重，空袭时闻，为策人民安全起见"，特地出告示，停止一年一度的甘蔗节，禁止民众往游洪山。当时的《新华日报》也就这事发表了消息。武汉沦陷后，三镇人民生活在水深火热中，当然谁也再没有心情过什么甘蔗节了。

中秋节玩荷叶灯

涂仁恩

忆儿时，中秋节的夜晚，和小伙伴纷纷玩荷

叶灯,把一张荷叶中心连柄的地方穿一个小孔,插上一支点燃的蜡烛,这就是一盏荷叶灯。儿童们带着它周游大街小巷,往往要玩到深夜才散。

年纪小一些的多半是玩短柄的荷叶灯。或一手托着,或双手捧着,或用细麻绳兜着荷叶底部,绳索上端系以竹竿或木棍,以便提着走。年岁大一点的多数是举着高过头顶的长柄荷叶灯。短柄的比较经玩,不用担心叶柄折断;长柄的则颤悠悠地摇曳生姿,持有者以此为骄傲。当然,谁带的蜡烛最多,也值得同伴们羡慕。要不然,一根蜡烛点完,你的灯就“瞎”了。也有些小孩把荷叶反扣在头上,犹如戴着帽子,将蜡烛插在朝上的叶柄中,这样就可以空出手来,或敲锣打鼓,或牵着弟妹同行。

在明星亮月之下, 如果来了一队荷叶灯,马上会有一群男女老幼跑拢来看。但见高低错落,一个接一个的碧玉盘中烛影摇红,就像一条夭矫的游龙,并且清香四溢,的确是别有一番情趣。

倘若那一晚是阴天,只要无风,照样可以游灯,不过效果差一些。就怕下雨,不仅儿童们不能出门赛灯,就连成人的赏月、祭月等活动也落了空。

相传,元代末年,白莲会(到明代称为白莲教)起义失败,江夏县(今武昌)有母子两人因参与起义, 为摆脱官方搜捕, 藏身于湖中的荷叶下,不幸淹死。群众就让孩子们在中秋夜玩荷叶灯,既是悼念那两位殉难者,也寓有为潜伏下来的起义军照路的意思。

朝山进香的“亮子会”

成　鹏

从清代到民国年间，武汉有过亮子会这种民间活动。

每年农历八月初一后，很多“善男信女”在肩上或胸前挂着上面写有“朝山进香”字样的黄布袋。有人还捧着内燃檀香的小香炉，组成浩浩荡荡的队伍向黄陂县行进。前面有人举着或扛着木制的山峦，山上是一些神像。这就叫“亮子”。他们是到黄陂木兰山去朝拜真武帝君以及各路神祇的。

在队伍出发的前两天，由头人(一称首人)延请僧道在香案上供奉神像，设坛打醮。凡是参加进香的人，先期必须斋戒沐浴。队伍起行后，有人沿途打锣，有人带头高宣佛号。一个人先念：“南无——阿弥陀佛！”群众接念“无量寿佛”。好像领唱与齐唱一样，既整齐，又有节奏感。有人即令累了，声音嘶哑，仍然跟着念佛，似乎惟恐菩萨听不到他的声音。一路上还要来上好多次的“匍匐叩首”，每次磕头前，有人发号施令，大家都听他指挥。队伍中虽然年龄层次不同，但面容都非常严肃，只有不懂事的孩子们才嘻嘻哈哈地跟着看热闹。

有趣的是：木兰山附近的居民倒不像远处的人那样，把木兰山的菩萨与抽签说得灵验无比。朝山进香的人也不如远处来的那样多。因而流传下来一句俗话："木兰山的菩萨验远不验近。""验"字是"荫"字的讹传。荫者，荫庇也。

清末禁止妇女游宝通禅寺

王雪琴

武昌洪山宝通寺为有名古刹，香火素盛，尤其是每年春末，进香与踏青的男女老幼特别多。这个民俗流行了好多年。可是，到了光绪七年(1881)，妇女游览洪山宝通寺的自由被剥夺了！这一年的三月，江夏县官贴出了禁止妇女游宝通寺的"告示"，这是根据宝通寺的住持达澄和尚的要求颁布的。全文如下(标点为笔者所加)：

> 江夏县正堂熊为出示严禁事，据洪山宝通寺住持达澄禀称：缘僧素处洪山，本属佛堂重地。前蒙各大宪再三捐费缮治围墙，盖欲分内外以肃清规，禁喧嚣以免污秽也。今有邻近村民，每多陋习。妇女托踏青之说，出入无常；婢妾假挑菜之名，往来不忌。窃思群伦杂处，恐滋弊端。欲以理谕而不能，亦以势禁而不可。只得敬叩出示严禁，并传集地保逐家晓谕等情。据此，除批示

外，合行出示严禁。为此，示仰该处附近居民人等知悉：尔等须知，宝通寺乃佛堂重地，理宜清静。家有父母夫男者，务各告诫妇女，勿得入庙闲游挑菜，预杜后患，是为至要。倘敢不遵，许该住持投鸣地保，指名赴县具禀，以凭饬拿其家夫男坐罪。该处地保，更应家谕户晓，谆谆告诫，禁止游庙挑菜陋习，切勿稍涉大意，各宜凛遵毋违。特示。

光绪七年三月　日示住持达澄勒石

这个“告示”被刻上石碑，镶嵌在洪山宝通寺门外的墙上，并被收入光绪八年刊行的《洪山宝通寺志》，成为清王朝歧视妇女的历史见证。

武昌城的午炮

王雪琴

30年代初期住在武昌的老人，不会忘记武昌城的午炮。

那时，武汉三镇向市民报时的标准钟只有汉口江汉关钟楼上的那座大钟。武昌还是用老办法——放“午时炮”，向市民传递“日已当午”的信息。

当时放“午时炮”用的是一尊小口径的火炮，炮位设在武昌高观山(即蛇山中段)附近，从

武昌路(今胭脂路胭脂坪)隧道上山往东约百米的山坳处。管放炮的是一位年约五十岁的老人,每天上午 10 点钟,他一手拎着闹钟,一手挽着工具包走进炮棚,插引线、装火药、灌土。准备工作做好以后, 他就坐在旁边, 等到闹钟走到 12 点,他准时点燃火炮的引线,轰隆一声,向三镇的市民们报告:下半天开始了。

武汉街头的第一辆汽车

张大野

世界上第一辆汽车，是1886年德国人奔驰制造的。1903年，汉口租界英国领事带来了英国制造的福特来路卡小篷车一辆，头面椭圆，没有电器设备，手摇发动，前面挂一盏煤油灯，司机是上海雇来的孙乃顺。这就是在武汉行驶的第一辆汽车。

辛亥革命前，市内已有二十多辆汽车，租界内由外国人办起了利通、同昌、华洋三家汽车行，对外营业。再过五年，中国人盛东生也办起了上海车行，董保富办起了亨宝车行，罗洪喜兄弟办起了扬子江车行。

1919年，后城马路(今中山大道)通车，汽车走出了租界，市内发展了二十八家车行，拥有客车七十余辆，普通老百姓也可坐上汽车。车费以车辆大小而定，一车能坐六七人的每小时六元，坐四五人的每小时四元。男女杂坐，不以为嫌。

以上所说的都是坐人的小汽车。1918年法国神父梅医生与军界头目石星川在谌家矶开办了一个工厂，他们买了七部货车运输工厂的原材料，市内才有了货车。以后法商利通洋行及英商怡利洋行及盛东生的上海车行也购置了货车，在市内运货。那时全省还没有公路。一直到北伐军占领了武汉，商人李心尚、刘忠杰、车风清等组成汉新长途汽车公司，利用原川汉铁路路基，修成了从汉口玉带门经舵落口、蔡家台到新沟共三十公里的马路，市内汽车才走出市区。从1903年第一辆汽车到汉新长途汽车，竟经历了二十五年。

“船靠左边行”

程　华

江汉路荟萃着武汉的一些大、中型商店，车水马龙、川流不息、选购用品的人群在这里熙来攘往，呈现出一派热闹非凡的繁荣景象。

可是，这条武汉最繁华的街道，在1931年夏天却是一片汪洋，什么车辆也没有了，有的只是些由长江岸边进入市内的小划子。那时的警察局为了维持江汉路上小划子的交通秩序，曾在江汉路和中山大道的交叉路口电线杆上，钉了一块“船靠左边行”的牌子，因为以前车船行人都还是靠左边行走的，靠右边行还是二次大战后的事情。当时江汉路上水深丈余，漫过高层建筑的一二楼。这块“船靠左边行”的牌子钉在比三楼还高的地方，地点就在今日无线电商店的转角处。两个月后水退了，这块牌子孤悬在上，警察局的人不再管它，别的人当然更不会去问它。于是经历了十几年，直到日本侵略者投降，人们欢庆胜利之后，当局才派人拆了下来。在未拆的一段时间里，初到武汉的人，在繁华闹市上看到指挥行船方向的牌子，摸不着头脑，大有滑稽之感。

“敬节堂”寡妇生活

孙继善

抗战前，汉口长堤街曾有座由士绅富户捐资兴建、收容寡妇的敬节堂，创办于清光绪年间。早期名“育婴堂”，专以收养弃儿为主。以后演变为专门收容寡妇，老百姓习惯地称它为“寡妇堂”。

我九岁时，父母双亡，大哥早逝，随大嫂进该堂生活了四年之久。

该堂内有三个大院落，长年锁住。非经主管该堂的“首事”许可，任何人不得进去。每个门左右各开一个四方形小洞，寡妇们接待亲人只能通过这个小洞见面。十岁左右的小孩则可从镶嵌在门上特制的“转桶”自由进出。三个院落内均建有两层木板楼房，约有百余个房间，每个房间约十平方米，备有木板床和桌凳。不论寡妇有几个小孩也只能住一间，称为一户。房外有宽阔的走廊，是寡妇们做饭和休息的地方。小场地中央盖有一座阁楼，内供奉观音菩萨，寡妇们每日焚香顶礼，以修“来世”。

寡妇们彼此都不知其名，只能叫娘婆两家的姓氏。例如张王氏、赵李氏、孙吴氏等。我和嫂嫂一直相依为命，到她临终前才知道她叫钟焕玉。

她们生活的来源有两个方面，一是敬节堂每月发给寡妇三块大洋，二是娘婆两家的接济。无人接济的贫困户，堂内就为这些人找来一些手工活赚点钱。每逢阴历年，民间慈善机构为寡妇孤儿们发放棉衣、米票，勉强可过。

她们还是有机会出去的。例如为父母奔丧，为亡夫上坟，或本人重病须住院治疗的，可由娘婆二家亲人负责领出，限期回归。逾期不归(没有正当理由的)，则可能被开除堂籍。寡妇带进来的孩子，除女孩外，男孩满十五岁必须出堂，由亲属领出。如儿子在外成了家，能养活母亲，则可以名正言顺地接母亲回去养老。每有此事，必敲锣打鼓、燃放鞭炮欢送。但伴之而来的，欢送者无有不嚎啕痛哭。其原因有二：一是相处多年难舍难分，二是自叹命薄不如别人。而后者居多数。

日本侵略军占领武汉前，大多数寡妇被娘婆两家接回，敬节堂停办。

从“曹大把”到曹祥泰

曹美成　遗稿　吴之光　整理

武昌“曹祥泰”正式开店于清光绪十年(1884)，它的创始人是我的祖父曹南山。祖父幼年时家境贫困，只读过两年私塾。曾祖父早逝，他十三岁就担负起养家糊口的责任。多亏左右邻居帮助，凑了点本钱，教他炒熟蚕豆，提篮上街零卖，赚点钱养家。

那时，买炒蚕豆的多是家庭妇女和小孩。祖父为了讨她们的喜欢，凡是买他蚕豆的，他总是抓一大把，数量比别的小贩多，生意也就比别的小贩好，久而久之，人们就叫他“曹大把”。

多卖必然多赚，祖父逐渐有了积累。同时，他发现水果生意利润较大，遂改挑水果担子。不过，也未放弃卖炒蚕豆，这是因为蚕豆带他起步，也给他带来了好声誉。

后来，我的两位叔祖父也加入进去，生意越来越好，也越做越大，由挑担而摆摊，由摆摊而开店，店名就是“曹祥泰”。

有一年六七月间，河下到的西瓜船一只接一只，但逢上了阴雨连天，西瓜无人要。卖主怕瓜放久了会烂掉，急于脱手，要价极低，等于白送。当时，我祖父认为久雨必晴，晴后必热，热后必能卖出好价钱。于是，他只花了几串钱，买进了两船西瓜，店里和家里放不下，又借邻居家里放。不几天，果然放晴，一下子转酷热。西瓜由几个钱一斤，涨成几十钱、百多钱一斤，就这一次赚钱四百多串。

从这些买卖中，祖父悟到了两条：一是要从长远着想，讲信用，薄利多销；二是测准市场需求，组织货源，并以销定进，盘活资金。祖父依此经营之道，抓住时机，陆续经营杂货、铁器、糟坊、米店，办了工厂，开了钱庄，“曹祥泰”逐步发展起来。

周仲宣在机器上铸词

陈　林

周仲宣是近现代一位爱国民族工商业者。他的祖祖辈辈都在武昌经营周天顺手工炉坊，清末迁来汉阳，生产香炉钟鼎之类。同治五年

(1866),他的父亲周庆春想改变炉坊面貌,将厂名改为周恒顺,用意是“靠天,不如靠人,而人就要有恒心”。实际上这个手工炉坊,在漫长的岁月里,从来就没有“恒顺”过。到光绪二十四年(1898),周仲宣接手经营时,作坊全部财产只有五部简陋的车床和一盘炉具,欠债三百两银子,几乎没有什么流动资金。

周仲宣从小就跟着父亲操练翻砂技艺,曾多次到日本和上海江南造船厂考察。当他继承祖业时,矢志跳出手工炉坊,向机器制造工业发展。于是将炉坊改为周恒顺机器厂,还聘请两名技师,招收一些技术工人,增添了动力机械设备。

可是,在半封建半殖民地的旧中国,洋机器充满市场,要发展民族机器制造工业谈何容易!光绪三十一年,周仲宣承制的第一台机器,是汉口常盛川茶砖厂的一套茶砖机,在一无图纸,二无制造经验的条件下,他带领技师到羊楼司茶场按照英国制造的同类设备精心仿制,全套设备终于制造出来了。虽然亏损了一千多元,但他的尝试成功了。他满怀豪情地说:“外国人能做的,我们也能做。”于是,他到处兜揽生意,宣传他的产品。宣统元年(1909),他听说汉口顺丰榨油厂已向英国订制了一台百匹马力的蒸汽机设备,并已签订了合同,价值四千六百余两银子,他立刻四出活动,多方疏通顺丰榨油厂的老板叶澄衷,终于以低于英国四分之一的价格,把这笔订货抢过来了。机器制成后,他写了几句话浇铸在机座上,词曰:“同胞细听,权利须争,我邦能造,不购外人。由知此意,方称国民,专买洋货,奴隶性情。”这既是宣传他的产品,也是倾诉一个民族工商业者发展民族工业的苦衷和强烈愿望。

由于周仲宣的艰苦奋斗，到抗战时期迁重庆后,“周恒顺”在内地已成为最大的一家私营机器制造厂了，为我国造船工业和动力机械制造工业作出了巨大的贡献。

当替工创业的薛坤明

薛　仁

1912 年的一天,头蓄分发、西装革履、风度翩翩的汉口英商福利洋行职员薛坤明，白皙的面孔变得又黑又瘦。当他平头短发、布衣布鞋出现在朋友面前时,朋友们大吃一惊,以为他被洋行开除了。经过追问,他才道出了一段原委。

他看到洋行里的肥皂虽价钱贵,但销路好,货却来自外洋和日租界的日本肥皂厂，很难进入寻常百姓家,于是萌发了办肥皂厂的想法。为了掌握制皂技术,他特备一桌酒,请教日本肥皂厂的推销员鲁寿安。哪知鲁也不懂技术,并说,日本人对生产工艺严格保密,工厂的前后门,都派日本人把守，不准外人入内。雇用的中国工人,要在厂内住宿,只许按技师指令做工。薛想,“不入虎穴,焉得虎子”,又请鲁设法介绍他进厂。

两月后，一位南京籍的工人，因母病要请假，日本大班要有替工。于是，薛坤明托词胃病，向洋行请假，马上剪平头、脱下洋装换布衣，由鲁寿安介绍进日本肥皂厂当了替工。进厂后，他样样抢着干，很快博得日本大班的欢心。一天下班后，薛坤明正在收检，忙得满头大汗，日本大班走近来乐呵呵地问："你叫什么名字？"薛答："我叫薛大发。"大班说："什么大发，是不是大大的发财？"薛笑答："是大大的发财。"大班大笑："很好，很好。"薛逐步受到信任，并被留下当了正式工人。不久，他向日本大班说明，因家里有老有小，需要照顾，请求每天下班后回家居住，得到特许。

他懂英文，认识各种桶装原料标明的名称、产地，又细心观察日本工程师下料的比例和程序，以及熬制时间，回家后一一记录下来，接着托人向外商购回制皂的散装原料，白天上班观察琢磨，下班回家试验，如此三月，终于掌握了一套制皂技术。

薛坤明技术到手，托词母病离开日本工厂，又借胃病辞掉英商洋行的职务。1914年，与乃兄筹资万元，请鲁寿安协助，在土垱(今汉口统一街)租赁一间大而深的旧房，开设起民信肥皂厂。1925年，在硚口宗关贱价买下一家德高雄黄厂，作了一翻修葺、改建，改民信肥皂厂为规模宏大的太平洋肥皂厂，年产肥皂十万箱。还在大门前

修了一条马路，名为“太平洋路”，直至今天武汉市公共汽车还设有“太平洋站”。

推销能手权景泉

曹美成 遗稿 伍 光 整理

汉口晋和铁号店东权景泉原在汉口长堤街全泰铁号学生意，光绪二十年(1894)他十八岁，刚刚出师，老板派他带着一千几百两银子偕同另一同事吴楚卿赴上海办货。当时，他跑过好多处铁号，看货、问价，经过评论、比较，决定向唐晋记铁号进货，一次办足。权景泉首先选定了热门货如元钉、铅丝、竹节钢、白铁皮等。后在废旧货堆前徘徊很久，着意选购18—21号废旧钢丝和12—14号废旧钢绳。这类锈蚀商品，平时很少人光顾，更不说大量购进。因此类货最多再堆放一年，就要报废回炉。精明老练的唐晋记老板唐晋斋看在眼里，连忙探问原因。权景泉说，湖北农村，每到年节，需要大批灯笼，城镇工匠都得及时赶做，用竹篾制作，比较粗糙，容易焚烧，用轻铁丝做的最受欢迎。如果做灯笼用18—21号新铁丝，每百斤要五两银子。现在选用这种废旧钢丝，每百斤只须四钱银子。运回去用柴火一烧，脱了锈，色泽新、质变软，完全可以代用。即使将买价、运费、柴火加工费加在一起，不过八

钱银子,仍大大低于新铁丝的价格,我们再减价卖出,更会受到买主的欢迎。我至少可获得一本两利或一本三利。至于废钢丝绳,先把好的选出来,卖给洋伞作坊做伞骨子用,可得好价钱。次品卖给茶叶店、包装店钉箱子,也可一本两利。

唐景斋听了权景泉的生意经,认为他是一位推销能手,很有经营本领。自己早想在汉口开设分店,经考虑,想将权挖过来,以为己用。第二天,权景泉登门,唐就说出想在汉口设一分店,请权负责。权景泉认为自己太年轻,不敢答应。回旅馆后,吴楚卿劝他不要失去机会。次日他便与唐晋斋议定合作办汉口分店的事。几经周折,权终于摆脱全泰铁号的职务。在堤口太和桥租下房屋,由上海唐晋记投资调货,开起"晋和铁号",权任经理。头五年内即向上海交盈利近十万两。

刘歆生的房地产"纠纷"

陆乐贫

随着汉口辟为通商口岸及京汉铁路之兴建,富商刘祥(号歆生)以其胆识预见到汉口必将有巨大的发展,对土地之需求亦必与日俱增。于是,他以巨资大量购置地产,大力经营房地产业。今玉带门、中山公园、江汉北路、解放公园至丹水池一线多处大片土地以及今江汉路中段(原歆生路)、南京路北段(原伟雄路)、江汉二路、铭新街、汇通路等处许多店铺、住宅即为刘所购置的房地产。故刘歆生有汉口“地皮大王”之称。

20年代以后,刘年事已高。其房地产规模大而又主持不得其人,故生倦怠之念,遂与湖北省当局议定,以其全部房地产交公,由省库拨银四百万两以度晚年。刘将契约交出后,省款久未拨付。刘曾多次呈文,均未得复。刘不得已,于报端以巨大篇幅将其致省长公署全文刊出,使全市尽人皆知。省方亦未置理,刘亦无可如何。致刘在名义上拥有产业而无契约,省方则有契约而无实有产业,双方僵持不下。刘焦急愈甚,乃商于先父陆德泽。先父与刘私交甚笃,故允出面斡旋。

适两湖巡阅使湖北督军兼省长萧耀南五十寿辰,全国显要毕集武汉。先父约刘藉祝寿之机,前往晤商以资转圜。但刘则因登报事,恐触萧之怒,不便前往,犹豫再三,先父坚邀力保无事,并亲陪前往。祝寿后留宴,嫌隙初释,而房地产事仍无眉目。刘焦急甚,先父劝其稍安,当相机设法解决。稍后某日,萧留先父饭,同席无他人。先父乃询萧曰:“刘歆生之事想下级已呈报矣。”萧曰:“然。我于此事甚费踌躇。因省库拮据,款难筹齐,正拟请教如何处之。”先父曰:“省库既不充裕,今若以此巨款购大批不动业产,似非得计,何如将此约退还,一可减省库负担,而巡帅之威信更增。不仅刘感戴高厚,桑梓且将永留去思。”萧曰:“君言甚善,当依此办理。”随即批示退约。先父归而转告，刘大喜过望，请先父陪同诣萧面谢。此房地产之纠纷遂告完结。

武汉第一位出国的中医师

陈剑函

杨恭甫，名葆寅(1858—1934)，祖籍江苏东台县，落籍武汉。青年时代拜名医为师，淬奋于学，医道日进。光绪十三年(1887)应聘来汉行医。

光绪二十年(1894)秋，清政府派龚照瑗出使欧洲。途经汉口，突染时疫，经杨恭甫治愈。龚感杨救命之恩，命其作为随从医生，赴英、法、意、比四国，遂成为武汉第一名出国的中医师。

杨虽人在国外，对祖国仍是“一枝一叶总关情”。他在为使馆人员、华侨、西人医病之余，曾翻译了《铁路章程》、《印花税章程》。张之洞曾荐他回国任京汉铁路芦汉线测绘委员。甲午战争受挫，清政府与日本签订了《马关条约》，龚照瑗想挟英、法以制日。杨恭甫的《在伦敦使署绘西欧航海图》一诗中，透露了他明知事已不济而又无可奈何的心情：

重洋远涉路漫漫，从此襟怀似海宽。
愧我无才随使节，问君何计挽狂澜？
身居画境挥毫易，船到中流泊岸难。
写出风波无限意，披图当作宦途看。

作为医生，他考察了国外医院设施和病房管理等。“深感我国医学虽有扁鹊之能、华佗之功，但西方的外科学、手术学、护理学不可不学习。”光绪二十三年回国，龚照瑗荐以县令。杨不受，归隐汉口。

1916年，杨出任汉口慈善会中西医院院长，提倡中西医结合治病。设病床百张，有内、外、妇、幼科应诊，还设化验、X光、手术等室。首创“看护养成所(即护士学校)”，并兼任校长。吸收西方经验，建立门诊、病房各种规章制度，辅以奖罚的具体措施。做到“人人无越轨之行，事事遵章而理”。十年后，该院因政局动荡，经费枯竭而停办。

英籍护士施德芬

陈剑函

解放前，武汉有十所教会医院。来汉的外籍护士有资料可考的一百六十一人，其中来汉时间较长，建树较多的要算英籍护士施德芬(G.E. Stophenson)了。

施德芬(1889—1981)，毕业于伦敦圣亚廊(译音)医院护士学校。1915年至1951年，她先后任汉口普爱医院(今市四医院)、协和医院护士长、护理部主任、督导、私立汉口普仁护士职业学校校长。我国著名护理专家刘干卿就是她的学生。1931 年,武汉大水,全国救济委员会在汉口利用大学、教堂、庙宇和席棚作为临时医院,施德芬任护理总监。领导中外五十名护士开展预防注射,日以继夜地护理患霍乱、痢疾、疟疾的病人。

1934 年，普爱医院为了庆祝建院七十周年纪念,想购"物理电疗器"和兴建护士宿舍,因教会补贴及外来捐款甚微,施德芬除向中国"桐油大王"李锐募得银元一万元外,还利用休假期间到美国、挪威讲学、募捐,终于买了"物理电疗器",建成了 1653 平方米的三层楼护士宿舍。在建房中，她得知英国南丁格尔住宅因修马路要拆除，各国护理组织纷纷索取拆下的砖块留作纪念，经施与英国护士大学联系,1937 年 6 月，由该校远涉重洋赠送南丁格尔住宅古砖一块，后嵌在普爱医院护校教室的正面，用以教育学生学习南丁格尔的献身精神。这块古砖至今嵌在市四医院内。

为了提高护士素质,交流护理经验,她倡导建立护士学术组织。几经奔走筹划,于 1936 年成立了中华护理协会汉口护士公会，施德芬被选为首任理事长。施还与刘干卿合译出版了《护病历史大纲》、《简明手术器械图解》，作为全国的护校教材。

太平洋战争爆发,英美对日宣战。施德芬被日本侵略军囚禁在上海龙华集中营。1945 年秋获释，重任汉口普爱医院护理部主任兼护校校长。1951年回英国,后定居香港。

汉口最早的一家中西医院

陈金铃

七十五年前武汉就有一所中西医结合的医院。原来,辛亥革命时,武汉激战,汉口《大汉报》主笔胡石庵发起组织“人道会”,抢救医治伤员,掩埋阵亡将士,救济难民,成绩卓著。可当年没有国人自办的医院，因而使抢救工作遇到不小的困难,引起各界的关注。于是在1916年,汉口慈善会会长蔡辅卿等奉黎元洪之命，募捐筹建汉口中西医院。蔡聘著名中西医杨恭甫、王奇峰、汪佐泉为正副院长。同年12月14日在汉口后城由义门外(今市一医院隔壁,湖北省武警总队驻地)破土奠基,翌年9月开始门诊。由于经费短缺,病房难以建成,该院督办毛树棠垫支四万银元。这样,在1920年10月12日,一所新型医院才正式落成。该院设病床百张,医务人员三十六人,有内、外、妇、幼(小儿)科等临床科室和相应的医疗技术科室。院中既有中医,又有西医,中西医生“如遇疑难之症,化除畛域,如师友之相爱,如骨肉之相亲”。共同合作诊治病人。1926年北伐时,该院改为武汉卫戍区医院,1927年易名为国民革命军第四方面军医院，往后因经费枯竭而停办。不过在当年教会医院林立的时代，武汉人能办起这样一家综合医院，一洗外人讥笑之耻，长了中华民族之志，还是难能可贵的

“土专家”兼长汉口两医院

梅　红

光绪十九年(1893)，王奇峰到汉口天主堂医院学护理。四五年后，他给外科洋医生作助手，同时学外科手术。1912 年后，他逐步学会做切除阑尾、疝气、截肢等手术，在有 X 光拍片的条件下，还能做膀胱结石、胆囊结石等手术。

1919 年秋，有一家女佣人晒衣时，不幸从高处摔下，恰巧被一拖把棍从左边腋窝内插进去，横贯锁骨。病人痛得大汗淋漓，失去知觉。其主人用竹床把病人抬到天主堂医院。洋医生看到这个吓人场面，做了一个无可奈何的姿势扬长而去。王奇峰闻讯赶到，仔细检查后，嘱先注射镇痛剂，然后他亲自将消毒纱布绑在拖把棍一端，轻轻地、一分一寸地往外抽。在医护人员通力合作下，终于将拖把棍抽出来。经王奇峰悉心治疗，病人两个月后痊愈。

洋院长和洋医生一向轻视华籍医生，更不把医徒出身的医生放在眼里。有一次，来了一位

患双侧疝气的病人，王奇峰与一位洋医生事前约定各术一边，先毕者胜。当王熟练地做完一边手术后，那位受过正规教育的洋医生还没做完，当场服输。此事传开，大长了华籍医生的志气。王受到全院职工的尊重，在社会上也声誉日隆。

1916年，汉口中西医院聘王奇峰为西医院副院长。因办院有功，1924年升为院长。此事在天主堂医院引起震动，华籍职工指责洋院长对王医生缺乏应有的尊重，而教会知名人士对院方也有责难。天主堂医院不得不聘王奇峰为院长。一名自学成才的医生兼长两院，在医界传为佳话。

冉雪峰辨证施治

涂明庭

早在二三十年代，中医界就将武汉冉雪峰与天津张锡纯相提并论，誉为“南冉北张”。两人虽然齐名，张对冉却推崇备至，他在名著《医学衷中参西录》中说：“冉君诚近世医界之翘楚也。楚国有才，其信然乎！”张到晚年病危时，还在病床上嘱咐他的几个得意门人，要他们转拜冉为师，继续学习。

从前我家病人较多，延请的名医也多。比较起来，长辈们更加佩服冉雪峰。“冉老的高明，就在于辨证施治。临床时对于病名同而病因异，或病因同而病症异，能够析入微茫。开药时既能遵从古法，选用经方和古方，又能灵活运用时方。方无不变之药，病无不变之方，药随方转，方随病转。不像某些庸医的刻舟求剑，因而疗效显著，誉满三镇以至全国”。还举过这样的例子：某年，武昌流行霍乱症，武胜门外的夏姓夫妇均受传染。同一天起病，都是大吐大泻出大汗，四肢厥逆，六脉全无，目陷皮瘪，腹痛筋转。如果是一般医生诊断，必定认为这两人既是同居一室，同吃一锅饭，又是同日发病，症状又相同，当然会用一样的药。但是，冉雪峰细心诊视，并向家人询问，发现一个是苔白、津满、不多饮、喜热、吐泻不大臭，另一个是苔黄、津少、大渴、饮冷不休、吐泻甚臭。因而考虑到霍乱分寒热两大纲。这一夫一妻，一为寒多，一为热多。然而寒多不是无热，热多亦非无寒。由此及彼，由表及里，进一步看出同中有异，异中有同。于是一用四逆汤，一用甘露饮，三剂以后，夫妇吐泻均止，四肢活而六脉出。假如同用一方，必有一人受害，甚至断送性命。

1959年，冉老也忆及这段往事，并说：“霍乱到垂危时，无论为寒为热，均无脉可察，全重看法。古人曾说脉微欲绝不可治，但我所治愈的三百多例中，十之八九已无脉。”

钉螺湖与病夫嘴今昔

童庆启

黄冈县涨渡湖区(今属新洲县)有个并阜嘴，这一带是血吸虫病的重疫区。“并阜”与“病夫”偕音，有民谣云：“一进病夫嘴，男女都有喜(怀孕)；女的怀十月(产仔)，男的驮到底。”并阜嘴的血吸虫病是在怎样时代的背景产生的呢?

原来涨渡湖与长江合一。1922—1923 年兴建堵龙堤和萧公闸，将大湖与长江隔开。内有举、倒二水注入湖中。每年入夏，山洪暴发，湖水暴涨，淹及农田村舍，秋冬湖水渐落，沟壑纵横。杂草茂盛，钉螺密布，尾蚴孳生。涨渡湖区居民，种湖田、割湖草、捞湖麦、撮湖虾、捕湖鱼、摘湖菱。常出进于疫水之中，尾蚴入侵而不自觉，倘患急性感染，数月间腹胀如鼓，不治死去。从 1919—1949 年三十年间，全县死于血吸虫病者约三万人，死绝八千二百十三户，毁灭村庄一百七十七个。有诗记其惨状云：

凄风苦雨暮鸦昏，狐兔生悲草木惊。
多少荒村人绝迹，愁看疫水涨秋坟。

该县从 1952 年起，用三十二年时间对涨渡湖疫区和血吸虫病人进行了反复查治，送走了“瘟神”，1985 年荣获中央血防小组颁发的奖杯。

高氏姐弟医院

鲍 东

解放前，武汉有20所私立医院，其中最著名的要数“高氏医院”。

高氏姊弟——高欣荣(女)、有焕、有炳都是在国内医科大学本科毕业后又赴美深造的留学生，建国前后均回归祖国服务。高欣荣主攻妇产科，有焕、有炳学内、外科。

1936年，高欣荣在美国约翰·霍布金斯大学研究妇产科一年后，又慕名到美国明尼苏达大学美俄氏研究院进修两年。美俄氏兄弟在艰苦的条件下创办医院，在国际上享有盛名，此事使高欣荣称羡不已。耳濡目染，她也想姊弟三人创办一所“高氏医院”。抗战中，她回国为抗战军民服务，但创办“高氏医院”的美好愿望在抗战烽火中未能实现。

抗战胜利后，1946年初高欣荣姊弟应聘在汉口市立医院任职。那时物价飞涨。男职工穷得无钱理发，女职工连买草纸的钱也没有。三姊弟的共同收入很难养家糊口。因此，高欣荣就在汉口黎黄陂路48号自己家里开设了“高氏诊所”，两个弟弟也利用业余时间看病，业务逐步发展起来。三姊弟辞退公职，于1949年初扩充业务，

终于挂出了“高氏医院”的牌子，并聘请了护士、助产士等。医院设门诊部和住院部、手术室，有病床十八张。还添置了常用医疗器械，可做阑尾、刮宫等手术。遇有子宫外孕、卵巢囊肿、胃切除大手术，就借用“万国医院”(今市中医院)的手术室，由姊弟分别主刀，治愈者众。有一天，邻巷里有位扫街的妇女产后大流血休克。其家人号啕大哭，认为没有指望，并烧破伞以送“亡灵”。高有炳闻讯赶到，踏熄余火，姊弟奋力抢救，免费治疗，终于使母子平安，全家至今称谢。

成德医学堂发文凭始末

鲍　东

光绪六年(1880)，意大利天主教嘉诺撒仁爱修女会创办了汉口天主堂医院 (今武汉市二医院)，于 1883 年附属“成德医学堂”，有医疗与看护两个班。学制六年，医疗班学生成绩经考试及格可在医院处方看病或另行开业，看护班学生学习三年能胜任者即入院护理病人。但这所“医学堂”在长达三十多年的时间里没有给学生发文凭，给出院另行开业者制造了人为的障碍。学生们因寄人篱下，都敢怒而不敢言。

1927 年，汉口发生了“一三”惨案，中共湖北省委召开了党和工会干部会议，部署了夺回“英租界”的群众斗争。地处“英租界”的天主堂医院医生、看护、工友出于反帝、爱国热忱，酝酿罢工，上街示威游行。医院“当家”(即院长)向华籍职工约法三章：不准交头接耳，不准外出，不准罢工、游行。日夜关闭院门，并派六名“印度洋人”轮流把守。

元月 5 日，“洋病房” 医疗班学生李攀五，“中国病房”工友李保禄领导三十八名华籍员工高举红旗，敲锣打鼓，冲出院门，参加“追悼‘一三’死难同胞大会”的游行，并指责医院“当家”一贯歧视、剥削华籍员工的种种行为。一向身处“国中之国”、“惟我独尊”的“当家”，对过去不屑一顾之李攀五、李保禄“礼为上宾”，邀请他们来谈判。对他们所提的三项条件进行商讨：医、护生学习期满要发文凭，待遇最低的医、护生、工友每月加银元三元，伙食要吃两荤两素，再不吃霉米、烂蚕豆、咸萝卜。院方件件依从。

从 1927 年至 1944 年天主堂医院被日机炸毁为止，有七十多名医学生经考试合格发了毕业证书。虽该证书没有向我国政府报批、备案，但他们学有专长，经汉口市医师会检定承认为医师。可是一年以后大革命处于低潮，院方以“不守院规”为由，将领导罢工的李攀五、李保禄开除出院。李攀五虽然没有得到文凭，但他好学深造，后来也成为汉上名医。

拒病人于院门之外

陈德红

1947年夏天的一个上午，湖北武昌县金口一位农民爬行到汉口天主堂医院(今武汉市二医院)的门口，气息奄奄地要求施诊。名医康绰卿走上前去一看：病人衣着褴褛，骨瘦如柴，裤子上污秽一团，散发着令人作呕的气味。康俯身检查，诊断为痢疾，必须住院医治。他急忙找“洋院长”免费收容。三次恳求，竟遭拒绝。最后一次请求不仅拒不收治，反而要康绰卿把病人抬走。到夕阳西下时，病人终于一命“归西”。尸体横躺在医院大门口，群情激愤，纷纷怒斥医院见死不救。“洋院长”责怪康办事不力，惹出事来，要康承担后事的责任。康忍气吞声，自己出钱给死者买了一具棺材，收殓、送葬。装棺前，康悄悄地请照相馆来人拍了一张照片，并题上两句：“医院大门两扇开，有病无钱莫进来。”妥为收藏。

1964年6月，市二医院办《院史》展览，向职工进行社会主义教育。此时家住汉口南京路崇正里二号年已八十一岁的康绰卿老人得知后，即着人送来这张颜色发黄的照片参加展出，全市五千七百余名医务人员看了这张照片无不义愤填膺！

水上医院

范永祚

1931年武汉被洪水所淹，汉口协和医院的员工与洪水展开了搏斗。他们首先把病人和医疗器械由一楼转到二楼，后又从二楼迁到三楼，但洪水仍然汹涌而来。该院一位叫马特龙(Matron)的副护士长惊呼：世界末日就要到来，没有必要把东西搬走。可是该院英籍院长宫善修、护士督导施德芬依然组织员工奋力抢救病人和转移物资。由于洪水冲垮房屋，大部分病人转走，广大医务人员英雄无用武之地。此时，国际水灾救济委员会与中国水灾救济委员会愿出钱为灾民治病，正愁缺少医务人员。几经商量，两会出钱，协和医院租了一艘名叫"哈拿摩勒"(Hannahmoller)的运煤船，停泊在江心，改装成水上医院船。雷士特(Lester)学会给医院提供了当年第一流的化验设备。英国妇女会及其他机构募集的床铺、被褥、仪器、食品和其他设备也运到船上。水上医院船设床位七十五张，医、药、护、检人员在船上工作。被水困在医院的少数重病人全部送到船上，其他病人可乘划子到船上就诊或住院。

后 记

《江汉采风》是《新编文史笔记》丛书的武汉分册。

武汉位于长江、汉水交会之处，素有九省通衢之称，是我国历史文化名城之一，在近现代历史上也占有一定的地位。由于世事沧桑，知情人日少，一些有史料价值的遗闻轶事，大都未收集整理，史志也不可能尽载。这次趁纂辑《新编文史笔记》的机会，我们采选了一百四十篇野史杂说，缀集成书，内容以武汉地区为主，虽属一鳞半爪，千字短文，而断枝碎影，亦足以聊补缺闻，或可为了解汉上风情之一助。

本书各篇，有的出自耆年馆员的手笔，有的则为熟悉武汉情况的史家、学人所提供，还有一部分是在馆藏遗稿和一些文献中挖掘整理而成。故多系亲历、亲见、亲闻资料，其他亦考订有据。

在编辑过程中，除馆内同仁通力合作外，还

承蒙有关部门和社会人士鼎力协助，其中张剑南、刘先枚、徐明庭、陈剑函、李曼农、王紫平等先生付出了辛勤劳动，为本册成书起了一定作用，在此谨致谢忱。

由于编者水平所限，书中所记难免有不尽翔实和疏误之处，敬请广大读者不吝指正。

编　者